01

Facilitation
Graphics

Kimitoshi Hori / Akira Kato

JN000045

ファシリテーション・グラフィック

議論を「見える化」する技法

堀 公俊・加藤 彰［著］

日本経済新聞出版

新版

まえがき

いきなりですが、皆さんに質問をします。

皆さんの会社の会議室にホワイトボードはあるでしょうか。それは何のために置いてあるのでしょうか。

よくあるのは「会議の内容をきっちりと記録しておかないと、後で言った言わないという水掛け論になるから」という答えです。残念ながら、間違ってはいませんが、的を射た答えとは言えません。

確かに記録は重要ですが、それだけならば誰かが手元でメモを取るなり、パソコンに打ち込むなりすれば十分です。それを最後に確認すればよく、わざわざみんなの前で記録を取っていく必要はありません。

最適な答えは「話し合いを促進する」ためです。

話し合いは、主に「聴覚情報」（話し言葉）によってなされます。言葉は、発した先から消えてなくなり、互いの頭の中に留めるしかありません。食い違いがあっても気づかず、すべてを覚えて全体を把握することもできません。口と耳だけのやり取りは、とても危いものなのです。

そこで力を発揮するのが目、すなわち「視覚情報」（書き言葉）です。文字や図形などを使って、話し合いを「見える化」すれば、はるかに正確に、効率的にコミュニケーションができます。発言を整理したり、全体を一覧で眺めることも容易です。視覚情報が発想を刺激し、記録として残すこともできます。見える化をするだけで話し合いが見違えるほど良くなるのです。

そのための技法を総称して「ファシリテーション・グラフィック」と呼びます。視覚情報をフルに活用して、言葉だけが飛び交う不毛の「空中戦」を、地に足のついた「地上戦」に変えようというのです。

ファシリテーション・グラフィックの活用シーンはいろいろあります。たとえば、議論しているうちに、論点がズレることがあります。これを防ぐには、A4紙に今日のお題を書いてよく見えるところに貼り出し、そこに視線

を誘導することです（オンライン会議ならチャット画面で）。論点を見える化すれば、意識を集中させることができ、要らぬ脱線が防げます。

　また、活発に意見は出るものの、収拾がつかなくなるときがあります。そんなときに、ファシリテーターが「一旦、ここまでの議論を整理しましょうか」と言って、ホワイトボードに図解を使いながら意見を分かりやすくまとめると、混沌から脱出できます。議論の構造を見える化することで、その全体像や検討のヌケモレ、ひいては次に話し合うべき論点が見えてくるからです。

　あるいは、1人ひとりの意見を短く要約して大きな模造紙に書き出し、発言そのものを見える化することもできます。ファシリテーターがやるのが大変なら、別に記録だけをする人（グラフィッカー）を立てて。そうすれば、みんなの思いが共有しやすくなり、議論も盛り上がっていきます。

　そのときに言葉だけではなく絵を使うと、イメージが伝わりやすくなります。絵を使えば、感情や場のムードをも見える化できます。その場で起こったことのライブ感のある記録となり、後でいろんな活用ができます。

　こんなふうに、ファシリテーション・グラフィックのやり方は状況によっていろいろあり、スタイルも人によって異なります。何を見える化するのか（論点、構造、発言、感情、場…）、何を使ってやるのか（文字、記号、図解、絵…）、誰がやるのか（ファシリテーター：進行役、グラフィッカー：記録役）が違っていても、狙っているところはすべて同じです。

　視覚情報を活用し、みんなから見える話し合いを通じて、議論や対話を効果的に舵取りしていく。それがファシリテーション・グラフィックであり、本書で全体像を明らかにしていこうと思います。

　筆者たちは、ファシリテーション・グラフィックを20年にわたり研究してきました。その中から発見したことが3つあります。

　1つ目に、ファシリテーション・グラフィックはアート（芸術）ではなくスキル（技術）であるということです。前者は簡単に真似できませんが、後者は訓練をすれば誰でも身につけられます。

　ファシリテーション・グラフィックのスキルは多岐にわたります。道具、

表現、要約、図解、レイアウトなど、必要不可欠な技術を本書に集約しました。新版に際して、近年注目のオンラインでのグラフィックやグラフィック・レコーディングについても詳しい解説を加えました。

　２つ目に、さまざまな作品に触れ、真似たり参考にしたりしていくのが、上達の近道だということです。そのため、今回フルカラーに全面改訂するとともに、ふんだんに作例を載せました。まずは「いろんな描き方があるんだ…」と、ファシリテーション・グラフィックが持つ幅の広さを味わってください。

　その上で、どんな技が盛り込まれているのか探し、「これは、いただき！」と思った技を使ってみてください。ベストな作例ばかりではないかもしれません。不十分だと感じたら、自分なりの改善点を見つけてみましょう。

　３つ目に、完成品の良し悪しだけではなく、何を考えながらどのように描いていくか、どのようにメンバーに働きかけるか、描いていく過程が極めて重要であるということです。

　筆者がファシリテーション・グラフィックの実演をすると、必ず「何を考えて描いているの？」「描きながら進行ができるの？」といった声が挙がってきます。そこで本書では、グラフィックを描いていくプロセスにも着目し、ファシリテーターの頭の中を探究します。それが分かれば、ファシリテーターの言動の意味が理解できるはずです。話し合いの場でリアルタイムに描いていきながら進行を舵取りするポイントをつかんでください。

　では、ここから皆さんをファシリテーション・グラフィックの世界にお連れしたいと思います。盛りだくさんの内容になっていますが、一読の後は、是非ひるまずにペンを手に取ってください。

　合言葉は「よし、私もまずは描いてみよう！」です。

2022年12月

堀　公俊・加藤　彰

読み方ガイド

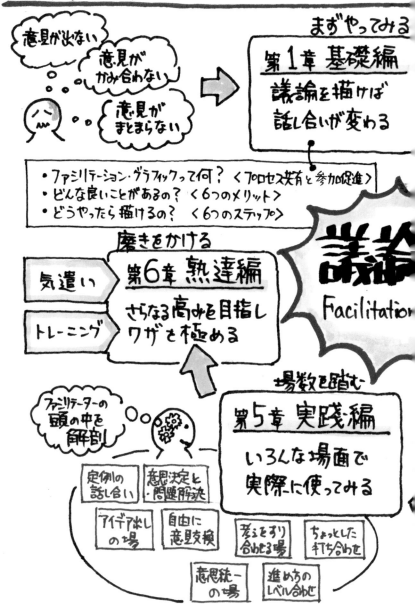

意見が出ない

意見がかみ合わない

意見がまとまらない

まずやってみる

第1章 基礎編
議論を描けば話し合いが変わる

- ファシリテーション・グラフィックって何？ 〈プロセス共有と参加促進〉
- どんな良いことがあるの？ 〈6つのメリット〉
- どうやったら描けるの？ 〈6つのステップ〉

磨きをかける

気遣い

トレーニング

第6章 熟達編
さらなる高みを目指しワザを極める

議論
Facilitation

場数を踏む

第5章 実践編
いろんな場面で実際に使ってみる

ファシリテーターの頭の中を解剖

定例の話し合い

意思決定と問題解決

アイデア出しの場

自由に意見交換

考えをすり合わせる場

ちょっとした打ち合わせ

意思統一の場

進め方のレベル合わせ

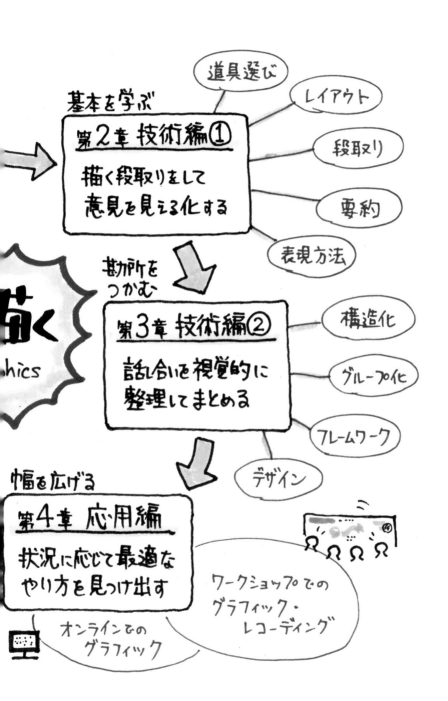

基本を学ぶ

道具選び

レイアウト

第2章 技術編①

描く段取りをして
意見を見える化する

段取り

要約

表現方法

勘所を
つかむ

第3章 技術編②

話し合いを視覚的に
整理してまとめる

構造化

グループ化

フレームワーク

デザイン

幅を広げる

第4章 応用編

状況に応じて最適な
やり方を見つけ出す

ワークショップでの
グラフィック・
レコーディング

オンラインでの
グラフィック

技術編① 発言をコンパクトにまとめる

第5章

実践編 いろんな場面で実際に使ってみよう

第6章

熟達編 ファシリテーション・グラフィックを極めるために

装幀・本文デザイン　竹内雄二
DTP　朝日メディアインターナショナル
手描き図版　久保久男

第1章

基礎編 | 1

議論を描けば話し合いが変わる

ファシリテーション・グラフィックで会議が変わる!

うまくいかない話し合いの典型的な症状

　皆さんの周りにこんな症状はありませんか。会議やワークショップなど、話し合いがうまくいかないときに起こる、3つの典型的な症状です。

1）意見が出ない

　しらけムードがただよっており、意見があっても出そうとしない。出せば批判や攻撃が飛んでくる。いつも発言する人が決まっており、発言しない人も少なくない。結局、目上の人が長々と演説するのを、ひたすら拝聴させられ、会議が終わってからホンネの意見が出てくる。

2）意見がかみ合わない

　筋の通らない意見や意味不明の意見が平気でまかり通る。思いつきや脱線ばかりで、話があちこちに飛んでしまう。論点が明確でなく、議論がかみ合っていないことが多い。しかも、全員がバラバラにメモを取っているので、いつまでやっても意識や解釈が一致しない。

3）意見がまとまらない

　同じ主張を繰り返すだけの水掛け論になり、議論がぐるぐる回るだけ。意見の食い違いが個人攻撃にすりかわってしまい、説得と言い訳の場になり、

創造的な合意形成にならない。結局、結論があいまいなまま終わってしまい、時間をかけた割には何が決まったのかよく分からない。

　いかがですか。思い当たる節が少なくないのではないでしょうか。これではとても話し合いとは言えず、やる意味はありません。
　筆者もかつて、このような症状にいつも悩まされていました。会社の会議でも地域の団体の話し合いでも事情は同じです。どこにいっても、こんな情けない状況が横行しているのです。
　しかも、年長者中心の話し合いが多く、議事録を取る役目ばかり回ってきます。こんな状況では議事録の取りようがありません。なんとかしたくても、目上の人ばかりの場では、とても口をはさむ勇気を持てず、ただひたすら言いっぱなしの議論を眺めているだけでした。参加者の質が低いから、会議がうまくいかないのだと思いながら…。

図 1-1 ｜ こんな会議はもう嫌だ！

描いて見ながら議論することのパワー

　ある日のこと、「これでは議事録が書けない」と思い、発作的に「すみません、議論の道筋を見失ってしまったので、自分の頭の中を整理するために、ここに書いてもいいですか?」と口走っていました。「オイオイ、しっかりしろよ」という声を背に、ホワイトボードの前に進み、今まで出てきた意見を整理し始めました。

　「山田さんのご意見は□□ということでしたよね」「田中さんと橋本さんのご意見は〇〇が同じで、△△が違っていますよね」「テーマのこの部分については意見が出ていますが、◇◇はまだ議論していませんよね」と一つひとつ意見の意味や議論の過程を確認していったのです。

　すると不思議なことに、参加者全員がホワイトボードを指差しながら「いや、要するに私が言いたかったことは…」「藤井さんの意見が抜けているんじゃないか」「山田さんの意見と私の意見の違いは…」と活発な議論が始まるではありませんか。

　それら丹念に記録して整理していくと、どんどん意見がかみ合ってきます。最後は皆の力が一つにまとまり、あれほど苦労した合意形成ができてしまったのです。

プロセスの共有と対等な参加

　ホワイトボードに議論を描くことで、一体何が変わったのでしょうか。一言で言えば、話し合いの**プロセスの共有**と**対等な参加**がなされたのです。

　ここでもう一度、話し合いの意義を思い出してください。話し合いは、多くの人の知識やアイデアを結集して、優れた問題解決や意思決定をするためにあります。さらに、話し合う過程に全員が参加することで、結論への理解と受容性を高め、実行する際のモチベーションやコミットメントを培っていきます。

　多くのメンバーが関与する行為ですから、皆が共有した一つのプロセスに沿って進めないと、井戸端会議や言いっぱなしの議論になってしまいます。これでは、グループで議論する良さが生まれてきません。それどころか、どこで何について意見を出してよいのかも分からず、結果として意見が出てこなくなる恐れがあります。

　また、メンバーが対等に話し合いに参加しないと、各人の知恵が結集できず、決まったことへの納得感も生まれてきません。他人の意見を尊重せず、自分勝手な主張をするばかりでは、みんなの結論になりません。

　プロセスの共有と対等な参加がなされてはじめて、話し合いは実を結ぶのです。

図 1-2 ｜ プロセスの共有と対等な参加が話し合いを活性化する

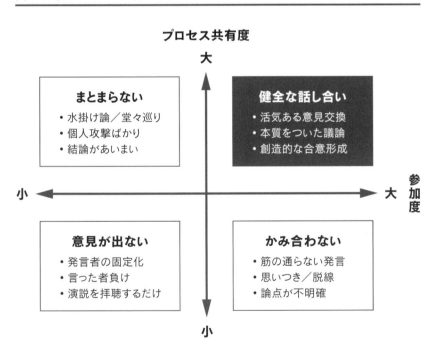

空中戦を地上戦に変える

　「プロセスの共有と対等な参加」と言葉で言うのは簡単ですが、実際にやろうとすると並大抵の努力ではできません。それは、人間の頭（脳）には限界があるからです。

　皆さんは、誰が何を言ったかを全部覚えられますか。自分でさえも前に何を言ったかを忘れがちで、その時々で都合よく発言をしているのが実情ではないでしょうか。そんな人たちが、バラバラな頭を寄せ合って議論しているのですから、プロセスの共有も対等な参加も難しいわけです。

　この限界を打ち破るには、容量の大きい**グループメモリー**（共通の記憶）を全員で持つことです。それは議論を可視化（目に見えるように）することで可能となります。視覚化された**フレームワーク**（思考の枠組み）を共有しながら議論を進めていくのです。

　討論番組を見ても分かるように、言葉だけが飛び交う**空中戦**をいくらやっても議論はまとまりません。議論を視覚情報に落とし込み、可視化された共通の枠組みで話し合う**地上戦**に変えなければなりません。空中戦から地上戦へ、それがプロセスの共有と対等な参加を両立させる絶好の方法なのです。

描くだけで見違えるほど会議がよくなる！

　このことはファシリテーターにとっても重要な意味を持ちます。ファシリテーターの役割は、話し合いのプロセスを舵取りすることです。ところが、メンバーの頭や心の中は目に見えません。「目に見えないものはコントロールできない」というのはマネジメントの原則であり、空中戦だと舵がきかなくなってしまうのです。

　ファシリテーターが話し合いを舵取りするには、地上戦に持ち込むのが鍵です。話し合いがうまくいかないと思ったら、まず勇気を出して議論を描いてみることから始めてみましょう。それだけで、話し合いが見違えるほどよ

くなるはずです。

　議論を描けば、参加者の目が輝き、自発的に意見を出そうとします。自然とアイデアが豊富になり、斬新なアイデアも生まれやすくなります。共通の枠組みができたことで、グループに求心力が生まれ、合意形成に向けての協働意識が醸成されます。

　論点を視覚的に整理すれば、論点に沿った意見が出され、議論がかみ合うようになります。同時に、議論のヌケモレが防げ、合理的な結論が導きやすくなります。意見の対立が起こっても冷静に議論ができ、結果として創造的な解決策が生まれやすくなります。

　議論を描けば、活気あふれる創造的な話し合いが可能になるのです。それこそが、本書のテーマである「ファシリテーション・グラフィック」の目指す姿です。

図 1-3 ｜ 活き活きとした話し合いを目指そう

ファシリテーション・グラフィックのメリット

ファシリテーション・グラフィックとは

　議論の内容を、ホワイトボードや模造紙などに文字や図形を使って分かりやすく書き留め、「議論を描く」ことを**ファシリテーション・グラフィック**と呼びます。「描く」という表現を使ったのは、文字とあわせて図表や矢印などをよく使うからです。

　ファシリテーション・グラフィックの手法は、元々はアメリカで住民参加の話し合いの技法として開発されました。それが、NPOやボランティア団体の会議からシンポジウムまで幅広い場面で用いられるようになってきました。

　企業の会議などのビジネスシーンにおいても、進行役が議論の内容を同時進行でホワイトボードに記録しながら話し合いを進めることがよくあります。これも立派なファシリテーション・グラフィックです。

　ファシリテーション・グラフィックを描く人を、**グラフィッカー**と呼ぶことがあります。本書では、ファシリテーターがグラフィッカーを兼ねることが多いと考え、両者を区別して説明するとき以外は、ファシリテーターという呼び方で通したいと思います。

ファシリテーション・グラフィックの効用

ファシリテーション・グラフィックには大きく２つのメリットがあります。前の項でお話ししたように、話し合いのプロセスの共有とメンバーの対等な参加の促進です。

話し合いのプロセスを共有する

①議論の全体像やポイントを提示する

話し合いに夢中になると、どのような意見が出て、どのような流れで議論が進んできたのかが分からなくなることがあります。メンバーが論点を見失い、異なる論点で議論するようになり、議論がかみ合わなくなってしまいます。

ところがファシリテーション・グラフィックがあると、議論の全体像が一目で見渡せ、一つひとつの発言の位置づけや相互の関係が明らかになります。今どこまで話が進んで、何を論点に話し合わなければならないのか、話の流れやポイントが一目で分かります。しかも議論のポイントやキーワードが分かりやすく書かれているため、論点がズレにくくなります。極端な話、その

図 1-4 │ 議論のポイントに意識を集中させる

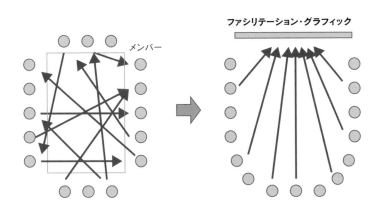

021

日のアジェンダと大まかなスケジュールがホワイトボードに描いてあるだけ
で、議論が本題から外れにくくなります。

②議論のポイントに意識を集中させる

　空中戦の話し合いは、メンバーの視線やエネルギーが個人対個人で交差し
あう、中心点のない話し合いになります。相互交流にはよいのですが、全員
で一つの結論を導き出そうというムードにはなりにくくなります。特に対立
があるときにこれでは困ります。

　それに対して、ファシリテーション・グラフィックを使った話し合いでは、
自然と視線がグラフィックやファシリテーターに集まり、今議論しているポ
イントにメンバーの意識が集まるようにもなります。意見を言うときも、人
ではなくそこに書かれた意見を指差しながら議論するようになります。全員
のエネルギーがポイントに集まり、全員が一致団結して問題解決をするとい
うムードが培われていくのです。

③話し合いの共通の記録として残る

　誰も話し合いを記録していないと、各自でメモを取ろうとします。メモ自
体は悪くないのですが、えてして自分に都合のよいメモを取りがちです。後
でつき合わせてみたら、議論のポイントや結論の解釈が全然違っていたりし
ます。しかもメモを取っている間は思考がストップしてしまうので、議論が
滞りがちになります。

　誰かが代表して記録をとれば、解釈の違いも生まれず、メンバーは議論に

図 1-5 ｜個人メモリーからグループメモリーへ

集中できます。結論やそこに至るプロセスが描かれたファシリテーション・グラフィックこそ話し合いの共通の記録となります。最近では、ファシリテーション・グラフィックをスマホで撮影してメールで配布するという議事録のつくり方もポピュラーになってきました。手間が省けるだけではなく、そのほうが臨場感を持って話し合いのプロセスが理解できるからです。

対等な参加を促進する

①発言を定着させて安心感を与える

　会議で同じ意見を何度も言う人をよくみかけます。大半は、「自分の意見が他のメンバーに伝わった」という安心感が得られないためにそうしているのです。そういう人には、会議の場で自分の発言が受け止められたことがハッキリ分かるようにしてあげるのが一番です。

　発言を文字で定着させれば、自分のメッセージが正しく受け止められたこ

実践のヒント①

Q　発言をホワイトボードに記録しようとしたら、「余計なことをするな!」と上司に怒られてしまいました。どうやって職場でファシリテーション・グラフィックを始めたらよいでしょうか。

A　少し前に会議室に入り、議題や手順など今日の段取りを書いておくところから始めてはいかがでしょうか(70ページ参照)。これなら議論の邪魔にならず、すでに書いてあるものを消せという人もいません。それに慣れたところで、次は決定事項や実行計画などを会議の終わりに書き添えて確認するようにします。
　そこもクリアできたら、論点(今、何について議論しているか?)を書き、最後に発言(何を言ったか?)を書いていきます。そうやって既成事実を積み重ね、段階的に進めていくのが賢いやり方です。

とが目で確認でき、発言者は安心感が得られます。この「受け止められた」という感覚が、話し合いへの参加意識を高め、「この場は何を言っても受け止めてもらえる」という信頼感につながります。それが「場の安全」を保証することにつながるのです。

②発言を発言者から切り離す

　私たちは、「誰が意見を言ったか」で意見を評価してしまうときがあります。意見の中身をよく理解せずに、「あいつの意見だから賛成できない」と人で中身を判断してしまうのです。特に私たち日本人は意見の対立が人間の対立になりやすく、感情的な議論になりがちです。

　ところが発言を文字に落とすと、人の匂いが消えて、単なる意見やアイデアとして客観的に見られるようになります。しかも発言を記録するときには、特別の事情がない限りわざわざ発言者の名前を書かないので、発言者（ヒト）と発言内容（コト）を完全に切り離せます。冷静で合理的な議論が進められ、自然と議論が深まります。感情的な議論を避ける意味でも、ファシリテーション・グラフィックは大いに威力を発揮するのです。

③発想を広げ話し合いを楽しくする

　ファシリテーション・グラフィックで使うさまざまな視覚情報は、創造力を刺激し、議論に広がりと飛躍を呼び起こしてくれます。

　図解や色を使って視覚的に整理することで、見落としていた点を発見した

図1-6 ｜ ファシリテーション・グラフィックの6つのメリット

プロセス共有	議論のポイントを分かりやすくする
	ポイントに意識を集中させる
	共通の記録として残す
参加の促進	発言を定着させて安心感を与える
	発言を発言者から切り離す
	議論に広がりを与える

り、対立を解消する新しいアイデアが生まれてきたりします。ちょっとした記号やイラストから、新しいイメージが浮かんだり、思わぬ発想につながったりもします。視覚情報は、話し合いの場を活性化する力があるのです。

　加えて、皆の目の前でどんどん意見がまとめられていくと、チーム活動に参加したという意識が高まります。協働作業を共に体験することで、チームの一体感も増し、結論に対する当事者意識も高まります。話し合いのプロセスへの参画が話し合いの達成感を生みだすのです。

図 1-7 ｜ ファシリテーション・グラフィックが議論を活性化する

ファシリテーション・グラフィックで話し合いを舵取りする

══ まずはペンを手にとって描いてみよう

　このように、ファシリテーション・グラフィックにおいて重要なのは、「描く」という行為そのものです。「上手い下手」よりも「描くか描かないか」のほうがはるかに重要なのです。

　たとえ上手にファシリテーション・グラフィックが描けなくても前に述べたメリットは得られます。「もっと上手になったら（自信がついたら）…」と言っていても埒（らち）があきません。思い立ったその日からどんどん描いてみるしかないのです。

　私たちはつい描くことを面倒臭がって、言葉だけで話し合いを進めようとします。これを直すには、習慣にしてしまうのが一番です。

　描くチャンスはどこにでもあります。会議やミーティングはもちろんのこと、ちょっとした打ち合わせや面談などでも、描きながら議論をすることを強くお勧めします。喫茶店で、テーブルの上に紙ナプキンを広げて、描きながら議論してもかまいません。他人の前でやる自信のない方は、自分のメモとしてノートに議論を描いてもよいでしょう。とにかく物怖じをせず、最初の第一歩を踏み出しましょう。

グラフィックを中心に「見える」議論を進める

　ファシリテーション・グラフィックは、その名の通りファシリテーションのためのツールです。描くことは手段に過ぎず、議論を空中戦から地上戦に変え、話し合いを活性化させて成果に導くのが目的です。

　ところが、目的と手段を取り違える人が少なくありません。ファシリテーション・グラフィックを単に記録（議事録）としてしか使っていないのです。

　これではファシリテーターが単なる書記や記録係になってしまい、場の舵取りがおろそかになってしまいます。メンバーにしても、せっかく描いてくれているのに、誰も見ようとしなくなります。これでは、グラフィックの価値が半減してしまいます。

　ファシリテーション・グラフィックは「みんなで見ながら議論」してはじめてメリットが活きてきます。そのためには、まずは座席の配置に工夫を凝らしましょう。ホワイトボードや模造紙に向かって、コの字型や扇型に座席を並べておけば、メンバーは自然とグラフィックを見るようになります。その上で、ファシリテーターは、グラフィックに注意が集まるよう促しながら、グラフィックを中心に議論を組み立てていきます。

図 1-8 ｜ グラフィックを中心に場をセットする

進行と記録を兼ねれば鬼に金棒

　議論を描くのは大変であり、慣れないうちは記録に徹するのが無難かもしれません。特に、アイデアをどんどん出すブレーンストーミングの場では、発想を妨げないためにも、進行と記録を分担したほうがスムーズにいきます。

　ところが、やってみると分かりますが、ファシリテーターとグラフィッカーを別の人が務めると、困った点もいろいろ出てきます。

　ファシリテーターは、話し合いの道筋をつけていくために、誰のどの発言のどの言葉に注目するかに、常に意識を集中させています。にもかかわらず、ファシリテーターが「これは重要だ」と思った発言を、グラフィッカーが聞き流して描き留めてくれなかったらチグハグなことになります。発言のまとめ方においても、キーワードが抜けていたり、ファシリテーターと違う解釈で記録されたりすると、やりにくいことこの上ありません。

　それに、少人数で討議しているときは、ファシリテーターとグラフィッカーそれぞれに別の人を割り当てるだけの余裕が無いのが普通です。ファシリテーターが記録も同時に行えれば、まさに鬼に金棒です。皆さんは、両方が

実践のヒント②

Q　先輩が勝手にペンを取って、自分の意見をホワイトボードに書きだし、独演会を始めてしまいます。どうしたらよいでしょうか。

A　ホワイトボードから一番遠い席に座ってもらい、障害物をいろいろ並べて、簡単にそこに近づけないようにしましょう。ホワイトボードに寄ってきても、ファシリテーターが体でブロックして、長居させないようにします。それでもダメなら、インクの出ないペンを置いておく手もあります。ペンを取られたら打つ手がなくなり、その前に対処しなくてはなりません。

自在にできるファシリテーターを是非目指してください。

プロセスを管理しながらコンテンツを記録する

　仮に記録に徹しているときでも、「ファシリテーターである」という意識を常に持っていてください。案外、議論のヌケモレが分かるのは、記録をしている人です。膠着状態になったときに、新しい視点が投げかけられるのも、場とやり取りしているファシリテーターではなく、クールに場を見ているグラフィッカーの場合が少なくありません。

　そういう意味では、ファシリテーション・グラフィックの役割は、話し合いの「プロセス（進行）を管理しながらコンテンツ（内容）を記録する」（志賀壮史『日本ファシリテーション協会関西定例会報告』）ことです。しつこいようですが、グラフィックを通じてファシリテーションしているのだという意識を忘れないようにしてください。

図 1-9　｜　プロセスの管理とコンテンツの記録

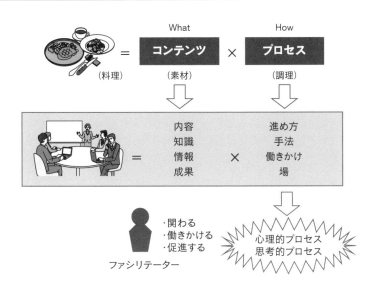

議論を描く
基本ステップ

　ファシリテーション・グラフィックの意義が分かったところで、実際にどのようにやればよいのか、基本的な描き方を説明しましょう。

　より細かいテクニックは第2章および第3章の技術編で解説します。ここでは押さえるべきポイントの全体感をつかんでください。

■ステップ1　話し合いを準備する

グラフィックを活かせる場所づくり

　ファシリテーション・グラフィックは場づくりから始まります。ホワイトボードや模造紙などのキャンバスに向かって、コの字型や扇（シアター）型に座席を並べて、みんなからグラフィックがよく見えるように会場をセットします。参加者の目線でチェックすることが大事です。

　議論を描く**キャンバス**としては以下のものがあり、状況に応じて適宜使い分けをします。

①ホワイトボード

　どこの会議室にもあり、「消して描き直せる」のが最大の利点。

②模造紙／フリップチャート

　キャンバスをいくらでも広げられ、カラフルなグラフィックが描ける。

③付箋

参加者の意見を集めやすく、分類・整理する作業がやりやすい。

④コピー用紙／ノート

いつでもどこでもできる。付箋やスライドの代わりとして使える。

⑤パソコン＆プロジェクタ

活字で読みやすい上に、記録がそのまま電子ファイルになる。

このほかにペン（インクを事前にチェック）、スマホ（記録用）、テープ類などが必要になります。準備万端で臨みましょう。

段取りを描いて共有する

キャンバスに最初に描くべきは、「これから何を話し合うか？」「どのように話し合うか？」、すなわち段取りです。それが共有できないまま中身（コンテンツ）に入っても話が進みません。

具体的には以下の項目をキャンバスの目立つ場所に描いて、話し合いの冒頭でみんなの同意を得るようにします。

- ・テーマ（タイトル）
- ・ゴール（アウトカム）
- ・手順、流れ（アジェンダ）
- ・グラウンドルール
- ・役割分担
- ・前提　など

同時に、検討すべき論点や着眼点、議論の流れなどに合わせて大まかにキャンバスの使い方を考えておけばあわてないで済みます。スペースの割り振りや全体のレイアウトを構想しておくのも大切な準備の一つになります。そのためには、スペース設計の考え方を習得した上で、基本フォーマットを上手に使いこなさなければなりません。

発言をコンパクトに要約する

　話し合いがスタートしたら、発言の中からキーワードを拾い出し、短い言葉に**要約**して書き留めていきます。「この発言のキーワードは何か?」「一言で言うとどういうことか?」を考え、発言のエッセンスを記録していくのです。

　要約文のキレがグラフィック全体の質を決めます。できるだけ元の意味を忠実に再現しながら、かといって冗長にならないよう、要領よくコンパクトにまとめる技術が必要となります。自信が無ければ、次のような言い回しを使って、発言した人に確認をするとよいでしょう。

　「今の発言は○○○○ということでいいですか?(書く前に)」

　「今の発言はここに書いた内容でいいですか?(書いた後で)」

　「今の発言をひとことで書くなら、どう書けばよいですか?」

　また、自信の無いうちは、無理に要約しようとせず、たくさん書き留めた上で、次に述べる強調のステップでメリハリをつけるようにしてください。

発言の中の言葉を活かす

　要約するときには、簡潔にしすぎたり一般化しすぎたりして、発言者やメンバーが見て意味不明にならないよう気をつけなければなりません。

　よくあるのは、抽象的な言葉に置き換えてしまうケースです。たとえば「そもそも、この商品が持っている機能が狙っていた顧客層に合っていないのでは?」という発言を「商品コンセプトの問題」と要約してしまうのです。

　これでは、発言のニュアンスが正確に伝わらず、本人も受け止めてもらえたという気持ちになりません。後で見たときに意味が分からず、「これってどういう意味でしたっけ?」という無駄な議論をしなくてはいけなくなります。

　こうならないよう、なるべく発言者が使った言葉をそのまま使い、キーワードをうまくつなげて要約文をつくりましょう(例:機能がユーザーに合っていない?)。

図 1-10 後で読んで、元の意味が伝わる要約を目指す

そもそも、この商品が持っている**機能**が、**狙っていた顧客層**に**合っていない**のではないでしょうか？

良い要約　　キーワードを活かす

- ○　機能が顧客に合っていない
- ○　ターゲットを外したかも？
- ○　顧客ニーズと機能が不一致

悪い要約　　勝手な解釈

- ×　商品コンセプトの問題
- ×　商品機能のミスマッチ
- ×　企画倒れのコンセプト

最近職場で顔を合わせて話をすることが減っていますよね。

2週間に一度ぐらい、近況を雑談する時間を設けることにしませんか？

良い要約　キーワードを活かす　ポイントを前面に　適切な意訳

- ○　雑談の時間を設けよう
- ○　雑談の時間を設けよう　　　　2週間に一度ぐらい？
- ○　近況雑談の時間を！
- ○　雑談時間で会話復活！

悪い要約　ポイントズレ　勝手な解釈　削りすぎ

- ×　会話が減少
- ×　リアルコミュニケーション
- ×　職場活性化施策
- ×　雑談

　次に、議論のポイントを浮き立たせるために、キーワードや要約文に**強調**を施し、メリハリをつけていきます。強調の仕方には次の5通りがあり、臨機応変に使い分けられるようになってください。

①書体

　重要な部分の大きさ、太さ、色などを変えて書くとポイントが際立ちます。一旦書いた後でも、文字をなぞって太くしたり、輪郭に色づけをしたりするとキーワードが強調できます。

②文字飾り

　キーワードに実線や波線で下線(アンダーライン)を引く、枠囲みする、薄い色で網掛けをする、の3通りのやり方があります。色をうまく使うと効果が高まります。

③記号

　文頭にドットや星印などの記号をつけたり、文末に!(エクスクラメーションマーク)や?(クエスチョンマーク)などの記号をつけたりすると文章が引き立ちます。

④囲み図形

　タイトルを長方形、楕円、リボン、星などの図形で囲むとテーマが強調されます。吹き出しや花火を使って意見の種類を区別したり、個人的な感情を表現する方法もよく使います。

⑤絵

　人物や道具などのちょっとした絵(イラスト)を描き加えると、その部分に視線が集中します。場のムードを和らげたり、内容のイメージを伝えやすくする効果もあります。

　ただし、強調というのは他と区別するために行うものです。すべてを強調してしまうと、何も強調していないのと同じになり、かえって分かりにくくなります。やりすぎに注意しメリハリのある強調を心掛けてください。

図 1-11 | 強調のテクニックを使い分ける

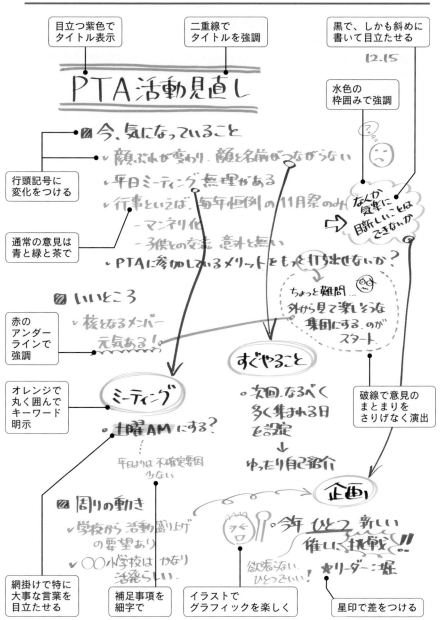

目立つ紫色で
タイトル表示

二重線で
タイトルを強調

黒で、しかも斜めに
書いて目立たせる

12.15

水色の
枠囲みで強調

PTA活動見直し

☑ 今、気になっていること

行頭記号に
変化をつける

・顔ぶれが変わり、顔と名前がつながらない
・平日ミーティング 無理がある
・行事といえば、毎年恒例の11月祭のみ

通常の意見は
青と緑と茶で

－マンネリ化
－子供との交流 意外と無い
・PTAに参加しているメリットをもっと打ち出せないか？

なんか
気軽に
目新しいことは
できないか

ちょっと難問…
外から見て楽しそうな
集団にする のが
スタート

☑ いいところ

赤の
アンダー
ラインで
強調

・核となるメンバー
　元気ある！

すぐやること

・次回、なるべく
　多く集まれる日
　を設定
　↓
　ゆったり自己紹介

破線で意見の
まとまりを
さりげなく演出

オレンジで
丸く囲んで
キーワード
明示

ミーティング

・土曜AM にする？

平日よりは不確定要因
少ない

企画

☑ 周りの動き

・学校から 活動盛り上げ
　の要望あり
・○○小学校は かなり
　活発らしい

今 ひとつ 新しい
催し、挑戦！！
★リーダー=堀

頑張らない
ひとつでいい！

網掛けで特に
大事な言葉を
目立たせる

補足事項を
細字で

イラストで
グラフィックを楽しく

星印で差をつける

　個々のポイントがバラバラに記録されているだけでは、相互の関係や互いの位置づけがつかめません。そこで必要となるのが**構造化**です。構造化は「同じものを束ねて並べる」「束ねたもの同士の関係を明らかにする」の2段階で行います。前者に囲み図形、後者に矢印を使うのが一般的です。

囲み図形で束ねる

　同じ種類の意見や関連する意見など、同じカテゴリーに入る項目を図形で囲んで束ねるのが**グループ化**です。たとえば、ブレーンストーミングをした後で、テーマ別にアイデアをグループ分けしてやると、全体像が一目でつかめます。一つのテーマについてさまざまな意見が出ているときに、賛成意見と反対意見に区分けすると、議論のバランスがよく分かります。

　書いた位置が離れていてひとくくりにしにくい場合は、同じ種類の記号をつけたり、もう一度整理し直したりしてグループ化します。また、分かりやすいよう、グループに属する意見を一言で表すタイトルをつける場合もあります。ここまでできれば議論全体の要約にもなります。

矢印を使って関係を表す

　関係を表すのには**矢印**を使うのが便利です。矢印の向きで関係の種類を表します。一番よく使うのが、原因と結果を矢印でつないで、因果関係を表す方法です。対立する見解や相互に関係がある場合は、双方向を向いた矢印（⇔）で表すのも一般的です。原因と結果が入り混じった複雑な関係も矢印を使えば表現できます。

　一方、矢印の種類や太さは関係の強さを表します。強い関係は太く、弱い関係は細く描きます。直接的な関係は実線、間接的な関係は破線にすると分かりやすくなります。また、影響が現れるのに時間がかかる場合は波線で表現するのもよいでしょう。このように矢印の使い方にはある種のルールがあり、それに従っておくと、メンバー間で誤解を招かずに済みます。

図 1-12 | 構造化すれば関係や位置づけが分かりやすくなる

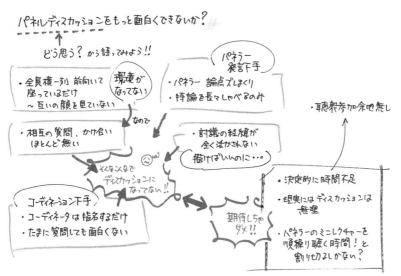

フレームワークを活用する

　議論が混み入ってくると、先ほど述べたやり方だけではうまく整理できないことがあります。そう感じたら、別のスペースを使って、整理(構造化)し直すのが得策です。

　そこで威力を発揮するのが、**フレームワーク**と呼ばれる図解ツールです。大きく4つの種類に分けられ、それぞれにたくさんのツールがあります。

①モレなくダブリなくまとめるツリー型

　レベルに応じて階層的に項目をまとめていく図解。ロジックツリーなど

②重なりが新たな発想を生むサークル型

　グループ同士の重なり合いで関係を整理する図解。円交差図など

③流れやつながりを整理するフロー型

　時間の流れや因果関係に沿ってまとめていく図解。フローチャートなど

④一刀両断に議論を切るマトリクス型

　表でまとめたり、軸(切り口)に沿って整理する図解。Tチャートなど

　これらの図解は、議論全体をまとめ直す場合もあれば、分かりにくくなった部分だけを整理し直すのに使う場合もあります。一つの図解で綺麗に整理できるとは限らず、自在に組み合わせて、最適な構造化を目指します。

　そのため、なるべく多くのツールをポケットに入れておいて、臨機応変に取り出せるようにしておかなければなりません。どういう場合にどのツールを使えばよいか、おおよその目安はありますが、場数を踏む中で身につけていくしかありません。失敗を恐れず、「トライ&エラー」を繰り返すしかないでしょう。

　ときには、どういう構図で整理をすれば議論がまとまるのかが、あらかじめ想定できる場合もあります。その場合は、最初から議論の構図をツールを使って提示しておいて、空欄を埋める形で議論を進めていくこともできます。

図 1-13 ｜構造化に威力を発揮するフレームワーク

●ツリー図を使ったアイデアの整理

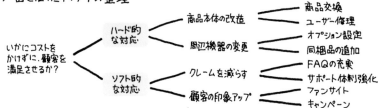

●表を使ったチームづくりのワーク

リーダーについて知っていること	リーダーについて知らないこと
・企画部きっての敏腕課長である ・元はコンピューターの設計者 ・電話魔として知られている ・学生時代はロックバンドをやっていた ・現在45歳で奥さんとは社内結婚 ・高校生と小学生の二人の娘あり ・最近ほとんど家でご飯を食べていない	・この会社に就職した理由 ・リーダーに選ばれた時にどう思ったか ・仕事をする時に大切にしていること ・家ではどんな夫（父親）なのか ・年齢より若く見える秘訣 ・野球（サッカー）はどこのファンか ・尊敬するビジネスパーソンは誰か
リーダーに期待すること	**リーダー（チーム）に貢献できること**
・我々の意見をとことん聞いてほしい ・毎週トップに報告をして連携を密に ・部門間で意見が割れた時の調整役 ・暗くならないプロジェクト活動を ・来年度確実に黒字になる計画づくり ・成功の暁には盛大なパーティを！ ・自分が成長できる活動をしたい	・プロジェクト活動に専念する ・決められた役割は100％やりきる ・情報を全てチーム全体で共有する ・会合のうち事前には集合する ・抵抗がおきないよう根回しする ・リーダーの愚痴を聞く会を持つ ・「無理だ」「時間がない」とは言わない

●親和図法を使った問題分析

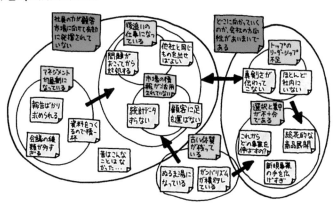

■ ステップ6　成果を確認する

　時々、会議が終わるやいなや、早く撤収したいからか、すぐにホワイトボードを消してしまう人がいます。その前にやらなければいけない大切なことがあります。ファシリテーション・グラフィックを全員で眺めて、今日の成果を確認することです。中でも大事なのが下記の項目です。

　　・結論(決定事項、合意事項)
　　・アクションプラン(誰が、いつまでに、何をするか)
　　・フォローアップの進め方
　　・次回の日程、議題、宿題など

　この確認をおろそかにしたのでは、せっかくのファシリテーション・グラフィックが台無しです。必ずこれらを確認する時間を取るようにしましょう。認識がずれていたり、あいまいになったままの項目があったら、その場で決めておかないと、後で痛い目に遭います。

　その上で、スマホで撮影して保存しておきます。画像ファイルをメールに添付して送れば、メンバー間の共有も簡単にできてしまいます。ファシリテーション・グラフィックには話し合いの様子が生々しく記録されており、時として正式な議事録よりも役に立ちます。

第2章

技術編① | 2

発言をコンパクトにまとめる

道具を使いこなす

　「弘法は筆を選ばず」と言いますが、実は弘法大師は「よい筆を使う」「書く字によって、さまざまな筆を使い分ける」ことを勧めていたそうです。私たちも、ファシリテーション・グラフィックを描くときに、いろいろなシーンに応じて道具を使い分けるようにしましょう。そのためには、まず道具の性質をよく知っておかなければいけません。

　道具には大きく、①キャンバス〜描かれる道具(to write on)、②ペン〜描く道具(to write with)、③記録を残す道具／その他小道具の３つがあります。これらを状況に応じて組み合わせて使います。

まずはホワイトボードから始めよう

ビジネスでもっともポピュラーなキャンバス

　ファシリテーション・グラフィックを描くキャンバスとしてもっとも馴染み深いのは**ホワイトボード**でしょう。どこの会議室や職場にもたいていホワイトボードは備えてあります。

　ただ、せっかくあるのに使わない人たちがなんと多いことでしょう。今まであまり使ってこなかったのであれば、是非あなた自身が火付け役となり、ホワイトボードを使って議論する習慣を広めていってください。

　ホワイトボードの最大の利点は「消して描き直せる」ところです。描いて消

してまた描いて、ができるのです。

　ホワイトボードを使って議論を描くときには、この利点を最大限に活かしましょう。記録すべきかどうか迷っても、どんどん描いていくのです。本題に照らして重要でないと判ったら、その時点で消せば済みます。また、議論が進むにつれて、「この意見とこの意見は同じ種類の意見だ」と見えてきたら、一方を消してもう片方に近寄せて描きます。そうやって、リアルタイムに議論をまとめていくこともできます。

３色のホワイトボードマーカーを用意しよう

　ホワイトボード用のマーカーは、黒、赤、青の３色があればよく、さらに緑があれば申し分ありません。もっとカラフルにしたければ、紫、水色、黄、オレンジ、ピンクといったマーカーも使うとよいでしょう。昔は色映えがしませんでしたが、今はかなり発色がよくなっています。

　できれば、細芯と太芯両方が付いているものを選んでください。タイトル

図2-1 ｜ 手軽なホワイトボードをまず使おう

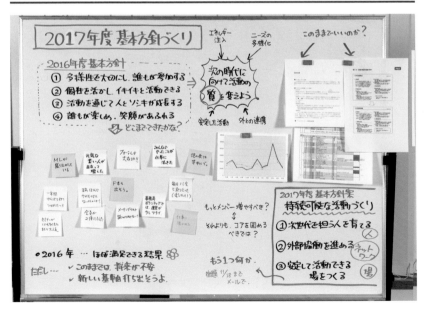

や決定事項などは、やはり太い字で強調して書いたほうが、メンバーにも分かりやすくなります。加えて、マーカーのほかに、紙の資料を留めるマグネットをいくつか用意しておくと便利です。

事前の確認と備えは怠りなく

　ホワイトボードはあって当たり前と考えてしまい、つい事前の確認がおろそかになりがちです。会場に行ってみて初めてホワイトボードが無いと分かり、頭を抱えた経験はないでしょうか。初めて使う場所では、ホワイトボードが備えられているのかどうか、必ず事前に確認しておきましょう。

　次によくあるのが、ホワイトボードマーカーのインクが乾いている、あるいは非常に出が悪いという事態です。そういうときのために、カバンの中には常に黒と赤（余裕があれば青も）のマーカーを忍ばせておきましょう。紫やオレンジといったカラフルなマーカーは絶対に置いてなく、使いたければ自分で持っておくしかありません。いざというときにさっと取り出せば、皆から「お！ こいつはできる！」と賞賛されること請け合いです。

1枚のホワイトボードが会議を変える

　普段参加している話し合いの場にホワイトボードが無ければ、まずホワイトボードを1枚買うところから始めてください。

　小ぶりのサイズの壁掛けタイプなら1万円以下で、大きめのサイズの脚付きタイプでも1万円台で手に入り、思ったほど高くありません。自宅に置いているファシリテーターもいるぐらいです。予算に余裕があれば両面がホワイトボードになっていて、ひっくり返して使えるものが望ましいです。

　最近では、マグネットシートがそのままホワイトボードになっていて、スチール製の壁に貼って使えるタイプがあります。ロールフィルム式ホワイトボードシートといってシートを切って壁に貼るタイプもあります。どちらもどこでも使えるのが売りですが、正直なところあまり使いやすいとは言えません。壁を使って臨時のキャンバスをつくり出すには、次に説明する模造紙のほうが適しているでしょう。

無限のスペースが得られる模造紙／フリップチャート

巨大な会議空間をつくる

　次に知っておきたいキャンバスが、模造紙やフリップチャートです。「紙」という古くからの道具は、実は非常に優れています。特に７〜８人以上が集まって、時間をかけて、深く議論したい場合には、模造紙／フリップチャートをお勧めします。

　大きなスペースがとれる**模造紙**は、余裕を持って大きめの字や図が描け、離れた人からでも見やすいのが有難いです。多人数が集まるミーティングで、メンバーの参加意識を高めるのに、これ以上の道具はありません。

　さらに、自由度が高いのも特長です。たとえば、ホワイトボードが備え付けられていない会場でも、壁に紙を貼ればグラフィックはできます。あるいは、多人数集まったので10グループに分かれて討議しようとしても、そんなに多くのホワイトボードを用意するのは簡単ではありません。模造紙なら、近くの壁を使ったり、机の上に広げたりしてグループ討議ができます。

図 2-2 ｜ 部屋いっぱいにキャンバスを広げられる模造紙

一方の**フリップチャート**とは縦800 mm×横600 mmぐらい（ほぼA1大）の紙を綴じたものです。ノートをめくるようにどんどん描いていけるのが特長です。スリーエム社からは『ポスト・イット®　イーゼルパッド』という名前の商品が出ています。値は張りますが、紙の裏上辺に糊が付いており、壁への貼り付けにとても便利です。

　模造紙／フリップチャートは、描いたら消せない、かさばって持ち運びが不便、という弱点があります。半面、「スペースが自由に広げられる」という素晴らしい利点を持っています。壁一面に貼っておいて次々と描いていく／一旦はテーブル上で作業し、描いたものから壁に貼り出していくというやり方もできます。話し合いのプロセスのすべてを一覧できるのが魅力で、部屋全体を巨大な会議空間にできるのです。

カラフルな水性マーカーを駆使する

　紙を使うもう一つの大きな魅力は、さまざまな色のペンが使えることです。紙だったら、カラフルで印象に強く残るファシリテーション・グラフィックが描けます。

　たとえば、アイデア出しのための有名なツールであるマインドマップでも、さまざまな色を使うことを推奨しています。メンバー全員でマインドマップをつくろうとなったときには、模造紙と多色のマーカーが最高の武器になります。

　ペンとしては、水性顔料インクを使った**水性マーカー**が基本です。油性マジックとは違い、裏までインクが浸透しない、ペン先が鋭い、色が鮮やか、溶剤の嫌な臭いがしない、といった特長を持っています。

　揃えておきたい色は、黒、赤、青、緑、茶、紫、オレンジ、黄の8色です。これに、水色、ソフトピンク、黄緑を好みに応じて付け足します。

　ペン先については、太字角芯と細字丸芯の両方が付いているものを選びましょう。中でも三菱鉛筆『プロッキー　ツイン』は永遠の定番です。角芯ならば、あとで説明するように、太字や細字いろいろ描き分けられます。プロはドイツのNeulandというメーカーのマーカーを、描き味がよいといって、使うことが多いようです（脚注：https://global.neuland.com/）。

ファシリテーション・グラフィックの腕前が上がってくるともっと欲張りたくなります。文字の裏や周りに優しい色を塗ってハイライトしたり、イラストを描いてみたり。こういうときに役立つのが、パステル調のマーカー（例：パイロット『ゲルマーカー』）や、蛍光ペン調のマーカー（例：スタビロ蛍光ペン『スイングクール』）です。一度使ってみると、輪郭の鮮明なペンには無い、柔らかい風合いに魅了されることでしょう。

図 2-3 ｜ペンによって風合いが違う

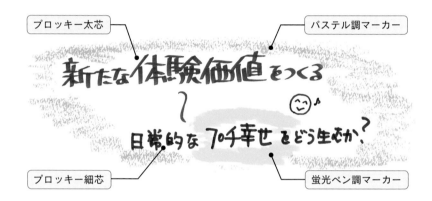

多めに貼っておいてゆったりと使う

巨大な会議空間をつくるという意味でも、消せないというデメリットを補う意味でも、紙は多めに用意しておきましょう。紙資源の節約というサステナビリティの意識には反してしまうのですが、多めに貼っておいてゆったりと使うのが賢明です。

そうなると、紙を貼るスペースを確保するのが大切になります。面積がたくさん欲しい話し合いの場合には、しっかりと会場の下見をして、紙の貼れる壁面があることを必ず確認してください。本棚やガラス窓があってほとんど壁面が無かったり、腰ぐらいの高さまで空調機があったりする部屋は避けます。

よくあるのは、（下がデコボコしているなどで）描くのは無理だが貼るぐら

いならできるという状況です。そういう場合には、とにかく1〜2枚でよい
ので貼れるスペースを見つけます。あるいは、ホワイトボードの上に模造紙
を貼ってもよいでしょう。そこでどんどん描き込んでいって、描きあがった
模造紙は剥がし、他の壁に貼っていくのです。

前もって描いておいて掲示する

　模造紙は、会議に必要な情報（プログラム、ルール）を事前に描いておいて、
掲示するのにも適しています。

　プログラムなどは、資料として配布するので十分だという意見もあるでし
ょうが、どうしても皆が視線を落として各人の資料を見る形になってしまい
ます。全員の意識やパワーを結集したいのに、わざわざ分散させているよう
なもので、みんなで一緒に作業しているという空気が生まれません。

　皆が顔を上げて、同じ方向に同じ対象を見つめると、協働する雰囲気が生
まれてきます。情報を見やすく大きく描いた模造紙は、皆で眺めるのにまさ
に打ってつけです。

図2-4 ｜ 模造紙に描いておいて掲示する

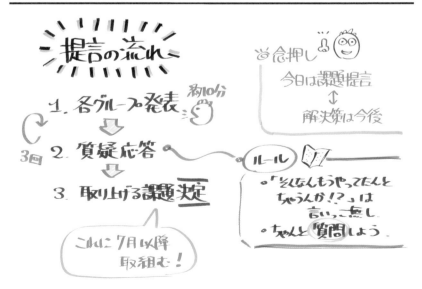

手のひらサイズの付箋を使う

　付箋とは、同じ大きさの紙が束になって、裏の一部分に何回も貼り直しができる糊が付いているものを指します。本来は、本や資料の気になるところに貼って、メモや目印として使うものです。ポスト・イット®という商品名を言ったほうが分かりやすいかもしれません。

　付箋はメモに使うだけではもったいなく、ファシリテーション・グラフィックの道具として使ってください。といっても、皆さんが普段目にする小さいものではなく、手のひらサイズの大きめの付箋を使います（ポスト・イット®の場合には、75mm×75mm、75mm×127mmの2種類のサイズを頻繁に使います。中には、152mm×203mmといった大判もあります）。いつでも使えるよう、1パックくらいは常にカバンの中に忍ばせておきましょう。

　使い方としては、参加メンバーに渡して、自分の意見を次から次へと書いてもらい、意見を披露するときにペタペタと貼っていくのが基本になります。あるいは、発言をファシリテーターが付箋に書いて貼っていくという使い方もできます。そうやってたくさん意見やアイデアが出てきたら、付箋を剥がしたり貼り直したりしながら、似たような意見をまとめていきます。

付箋を使えばアイデアが出しやすい

　付箋には、他のキャンバスにない優れた特長があります。意見やアイデアを広げていく段階でいえば、付箋を使うことで各人が主体的にアイデアを出しやすくなります。

　付箋を使わずに、順番に意見を言っていくやり方だと、控え目な人にはどうしても発言の機会が回ってきにくくなります。また、ひとたび他人の意見を聞いてしまうと、「あの人に反対する意見は言いにくい」などと影響されることも多くなります。中には「他の人が意見を言ってくれるから、任せてお

図 2-5 ｜ 付箋を使って活力みなぎる話し合いをしよう

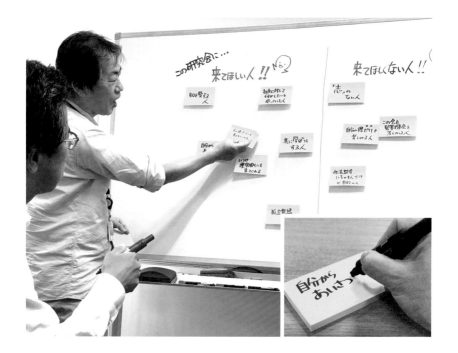

けばいいや」と考えてサボる人も出てきます。

　付箋に各人が意見を書けば、他の人の意見や勢いに左右されることなく、自分の意見を提示できます。少数意見をしっかり拾い上げ、また、受け身になっている人に参加を促すことにもなります。

　次に、短時間に大量のアイデアを出すのに付箋は適しています。アイデア出しのときには、活発に次から次へと意見が出てきても、それを全部ファシリテーターが記録する余裕はなかなかありません。各人に付箋に書いてもらえば効率的にアイデアが集められます。

　さらに、アイデアの追加や修正が簡単であることも大きな利点です。追加したければ、新しい付箋にアイデアを書いて貼ればOKです。意見を修正したいときも、古いのを剥がして新しいものを貼れば済んでしまいます。

付箋を使えば意見が整理しやすくなる

　アイデアをたくさん出した後は、似たような意見をまとめてタイトルをつけたり、相互の関係を発見したりという作業に取り掛かるのが通例です。残念ながらこの作業は、一定の手順を踏めば必ずまとまるというものではありません。何度もやり直しをしながら、試行錯誤を繰り返すプロセスであり、頭の中だけで考えてもなかなかうまくいきません。

　付箋を使えば、アイデアをあっちこっち動かしながら、頭だけでなく手や目を使って考えることができます。構造化のプロセスを体で味わえる素晴らしい道具なのです。

　さらには、意思決定のステップでも付箋は役に立ちます。いくつかに絞られた案に対して、賛成・反対のコメントを付箋に書いて貼り付けていったり、投票用紙として使ったりできます。

　このように付箋には優れた特長がたくさんあり、意見やアイデアを出すところから、それを構造化してまとめていくところまで、議論のすべてのプロセスで威力を発揮します。場の活性化にも役立つ優れものなのです。

付箋がホワイトボードに貼りつかない!

　付箋をホワイトボードに貼ろうとしてもうまく貼りつかず、貼ってもすぐに落ちてしまうことがあります。

　これを少しでも避けるには、付箋を束から剥がす際に、横へめくるように剥がします。下から上へ持ち上げるように剥がすと、付箋がそっくり返ってしまい、接着力が落ちてしまうからです。

　また、メーカーによっては、接着力の高い強粘着タイプの付箋も用意されています。それを使うのも一法です。

図2-6 ｜ 横から剥がす

ボールペンではなくサインペンで書く

　付箋は、そこに書いた意見・アイデアを「皆で見て議論」して初めて真価が発揮できます。ところが、メモのイメージが先行するのか、メンバーに付箋を渡すとたいていはシャープペンシルかボールペンで小さい字を書いてしまいます。これではとても皆で見ながら議論できません。

　そうならないよう、付箋というキャンバスに合わせて、サインペンを用意してください。模造紙の項で紹介した水性マーカーの細芯も使えます。いずれの場合も、色としては黒、赤、青の2〜3色があれば十分です。サインペンを付箋といっしょにメンバーに渡し、「ボールペンではなくサインペンを使って、大きく読みやすい字で書いてください」とお願いしましょう。

1枚1項目、短文で分かりやすく

　文は短すぎず長すぎず、2〜3行を目安に書きます。1枚に欲張ってたくさんの項目を書かないのがコツです。

　たとえば、「チームミーティングを週1回開き、部会を月1回開く」と書いてしまうと、後で「チームに関する活動」「部全体に関する活動」に分類したくなったときに困ってしまいます（新たに書き直せばよいのですが…）。なるべく一つひとつを細切れにして「1枚1項目」で書きましょう。

　一方、「人事制度」「役割分担」などと名詞だけをポツンと書くのも望ましくありません。それだけを見ても、結局何が言いたいのか分からなくなるからです。具体的に何が言いたいのか、他の人が読んでも分かるように短文で表現するのがポイントです。「もっと公平感の感じられる人事制度」「役割分担をもっとシンプルに」といった具合に。

　このあたりの作法を徹底させたければ、本番のアイデア出し作業に入る前に、「字の書き方／アイデアの書き方の練習」をしてから始めるのも一つの方法です。格好のウォーミングアップにもなりますので、メンバーが慣れていないときの工夫として覚えておくと便利です。

コピー用紙も立派なキャンバスになる

　話し合いはいつも準備万端で始まるわけではありません。喫茶店で休憩中にいきなり込み入った議論をしたくなったり、顧客を訪問した際にホワイトボードが無い応接室で議論が始まったりします。また、少人数で机を取り囲んで、手短に話し合いをしたいときもあるでしょう。そういう場合には、キャンバスが無いからと、描くのを諦めるしかないのでしょうか。

　そんなことはありません。コピー用紙、ノート、紙ナプキン、箸袋…そういったものが立派なキャンバスになってくれます。身近にある紙を机の上に広げて、落書きをする気分でメモを取りながら、それを皆で見て議論すればよいのです。「描くものがない」と諦めずに、紙やノートをテーブルの上に広げましょう。キャンバスは大きいほうがのびのび使えます。あればA3やB4のコピー用紙が望ましく、無ければA4でもかまいません。コピー用紙がなければ、資料を裏返して即席のキャンバスをつくれば事足ります。

図 2-7 ｜ ホワイトボードや模造紙がなくても大丈夫

コピー用紙を付箋代わりに使う

　付箋を使いたい場面なのに、あいにく手元に付箋が無い。あるいは、付箋では内容が収まり切らない。そんなときはどうしたらよいでしょうか。

　こういうときにはA4〜A3の**コピー用紙**を配り、意見を描いてもらって、壁やホワイトボードに貼る方法がお勧めです。アイデアの量を稼ぐよりは、1人ひとりに深く考えた意見を表明してもらいたい場面で効果的です。

　これならば、グラフ、表、ダイアグラム、イラストといったビジュアルも描き込めます。各人が思い描いている理想の姿や、これからやろうと思っている実行計画○箇条などを共有するときに使うと効果が実感できます。

　また、この方法は、皆でプレゼンテーションのストーリーを考えるときに猛烈に力を発揮します。はじめからいきなりPowerPointで始めてしまうと、どうしても細部が気になり、全体の流れを考える妨げになります。誰か1人がPowerPointを操作している状態では、他の人は関与しにくくなります。

　そこで、A4のコピー用紙に、タイトル、メッセージ、図、イメージなどを描き、壁に順番に貼っていきます。スライドの取捨選択、追加、順番替えといった検討が圧倒的にやりやすくなるはずです。すでにでき上がっているスライドがあるなら、印刷して合流させるとよいでしょう。

図 2-8 ｜ コピー用紙を使ってみんなでストーリーづくり

紙芝居を使って動きを出す

　ファシリテーターとして、メンバーに会議のテーマ、ルール、作業内容などを示したいときに、皆さんはどうしますか。

　模造紙に書き出すという方法を紹介しましたが、最近の主流はパソコン＆プロジェクタではないかと思います。大変便利なのですが、パソコンに頼りすぎるのは禁物です。設置場所や機材・電源を確保しなければならない、一覧性に乏しいというデメリットに加えて、周りの明かりを落とすために、メンバーがスーっと引いて受け身になっていくのが感じられるからです。

　講演や報告会議など、皆が受け身になってもかまわない場面ならば、プロジェクタを使えばよいでしょう。しかし、メンバー全員で主体的にワイワイやるような話し合いの場では、他のやり方も考慮すべきです。

　そんなときに試してみたいのが**紙芝居**です。A3ぐらいの大きめの紙に、伝えたい内容をあらかじめ描いて、バインダで束ねるなどして手元に持っておきます。それを紙芝居のようにめくりながら、皆に見せていくのです。

　皆の視線をそこに集中させられ、どんな環境でも使えるやり方です。説明し終えたものから順に貼っていけば、ずっとそこに残り、一覧もできるようになります。

図 2-9 ｜ 紙芝居を使ってプレゼンテーション

大判のスケッチブックを持とう

コピー用紙以外に是非活用したいキャンバスがF4あるいはB4サイズの**スケッチブック**です。

パカッと机の上に広げて、横に置いてみましょう。たちまち横長のキャンバスが出現します。上質画用紙なのでインクの乗りもよく、描いていてとても気持ちのよいものです。少人数で議論するなら、皆でそれを覗き込めばよく、自分1人のメモ取り用としても使えます。

初めはマス目があるほうが描きやすく感じるかもしれません。しかし、制約無しに自由に描くには、マス目無しに慣れておくことを強くお勧めします。

紙やスケッチブックに描くときには、手に馴染んだお気に入りのペンを使うようにします。なるべくインクの出のよいペンで、黒、赤、青3色程度を用意しておけば十分です。サインペンや蛍光ペンも持っておくと、アンダーラインや枠を引いて目立たせたりするときに役に立ちます。

図 2-10 ｜ スケッチブックをキャンバスに

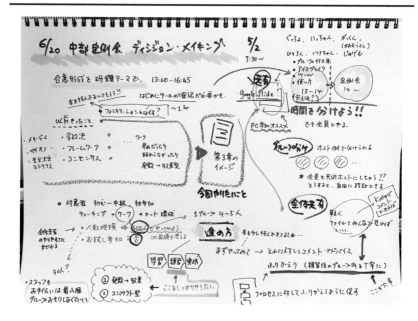

▄ パソコン画面をプロジェクタに映して

高速でタイプできれば便利

キャンバスとしてもう一つ忘れてならないのが**パソコン**です。PowerPoint などのソフトを使って記録しつつ、プロジェクタで投影をするやり方です。活字で読みやすい上に、記録がそのまま電子ファイルになるのが利点です。

ただし、誤字や誤変換をせずに高速で文字を打ち込んでいくのは、かなりの技量が必要となります。結局、打ち終わるのを見届けるまで参加者が発言を控えることになり、丁々発止の議論になりにくくなります。ましてや、パソコン（マウス）で図や絵を描こうとすると手描きのようにスムーズにいきません。発言はそこそこ拾えても、その場で構造化するのは手間を要します。

なので、議論がまだ柔らかいうちは、デジタルよりはアナログをお勧めします。どんな話し合いにも臨機応変に対応するには、自由自在に描ける手描きに勝るものはありません。どうしてもパソコンでやりたければ、専用ソフトとタブレットを用意されることをお勧めします。

場のムードが変わる

逆に、議論がある程度かたまってきたら、一旦パソコンで整理をしておき、それを投影しながら細かいところをつめていくのが便利です。細かい文言の検討などは、いろいろ文章をタイプしてみて吟味するのが効率的です。

ただし、デジタルとアナログとでは、場のムードが変わることを忘れてはいけません。デジタルだとスクリーン上で文字が次々打ち込まれていくだけで、動きが無く静的になります。対してアナログでは、人やキャンバスに動きがでて、それが場の盛り上がりに寄与します。

たしかに、パソコン＆プロジェクタはとても便利です。とはいえ安易にそればかりに頼らず、数ある手段の一つとして使い分けるのが望ましい姿ではないでしょうか。ちなみにオンライン会議のファシリテーション・グラフィックについては第4章で詳しくお話ししたいと思います。

057

ファシリテーションに欠かせない小道具たち

スマホは最強の記録ツール

　ファシリテーション・グラフィックで考えておかなければいけないのは、記録の保存のしかたです。会議が終わった後、グラフィックを共通の記録としてメンバー全員で共有しなければ、価値が半減してしまいます。ホワイトボードに描いたままにしておくわけにもいかず、模造紙や付箋を丸めて保管しておいても役に立ちません。

　保存・共有の最強の道具が**スマホ**です。どんなキャンバスだろうが綺麗に撮れ、保存できます。画像ファイルをメールに添付して送れば、メンバー間の共有も簡単にできてしまいます。

　こうやって撮影したグラフィックは、時として正式な議事録よりも役に立ちます。わざわざ文字に落とすよりも、話し合いの流れやムードが活き活きとよみがえってきます。議事録を画像で代用すれば、事務局が議事録のたたき台を持って回って合意事項を調整する手間も省けます。結果として、集まった全員が会議に集中できるという副次的なメリットも出てきます。

　撮った直後は、画像を拡大して、しっかり写っているかを必ず確認してください。文字が判読できなかったり、肝心な部分が切れていたら意味がありません。また、写真ファイルをメールで送るときには、容量を1MB前後にすると、容量が大きすぎず、画像も鮮明なままでちょうどよいです。

あると便利な小道具たち

□布製ガムテープ、養生テープ

　模造紙を壁に貼るのに使います。模造紙は意外に重さがあり、巻きぐせがあるために端が浮き上がりやすくなります。接着力の弱いセロハンテープやメンディングテープなどよりも**ガムテープ**のほうが適しています。

　ガムテープは必ず布製を使いましょう。まっすぐにちぎりやすく、紙製ガムテープのように剥がすときに壁に残ったりしません。模造紙を貼るより前

に、適当な大きさにちぎって、机の端などに貼って準備しておくと便利です。

　ガムテープでは壁（貼り付け面）の塗装を痛めてしまいそうで心配なら、引っ越しのときに柱や壁などを保護する**養生テープ**を使います。

　どちらのテープを使うにしても、模造紙を貼るときには、紙をしっかり押し広げて、たるみが発生しないように貼りましょう。紙の浮いた部分があると、存外描きにくいものです。そのときに、テープを貼る方向に気を配ってください。たいていの人は紙の四隅を斜めに覆うように貼ろうとします。ところが、模造紙を支えているのは模造紙より上に出た部分であり、この貼り方では下の部分が無駄です。また、横に並べて何枚も貼るときに隣の模造紙の紙面にはみ出してしまいます。テープは縦貼りが基本です。

図2-11 ｜ テープを貼る向き

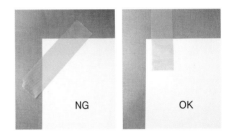

NG　　　OK

□ドラフティングテープ

　模造紙を貼るのには適していませんが、コピー用紙を貼るならドラフティングテープです。貼り直しのできる適度な接着強度、手でちぎりやすい取り扱いのしやすさ、といった点でセロテープよりずっとお勧めです。

□磁石／マグネットシート

　資料を壁（ただしスチール製に限る）やホワイトボードに貼り出すときに便利です。丸型、ピン型、棒型、シート型といったさまざまな磁石が市販されています。気に入ったものをいくつか持っておくといざというときに役立ちます。

□マーキングシール

　1人何枚か持って、掲示されたアイデアや提案に投票するときに使います。赤が目立つので最も使いやすく、青、緑を加えた3色くらいあると、意思の違いが色で表現できます。

□ウエストポーチ

　何本もあるペン、付箋、テープ、磁石、マーキングシールを入れて、腰に巻いておくと、縦横無尽に動き回るときには特に重宝します。

レイアウトを
構想する

━━ 適切なレイアウトが話し合いを活性化する

全体の配置を考える

単に記録するだけなら描き方を覚えるだけで十分です。ところが、「話し合いを活性化する」という本来の目的を達成するには、「スペース全体をどのように見せるか」が重要になってきます。会議やワークショップの進行に合った分かりやすい見せ方をすることによって、話し合いを促進する効果を大きく高められます。

そこで、是非覚えてほしいのが、全体の配置を考えるレイアウトです。それは、どのように空間を活用するかを考えるスペース設計と、レイアウトの基本のパターンを覚えて使いこなすフォーマットとに分かれます。まずは**スペース設計**から説明します。

スペースの使い方を構想しよう

話し合いが始まる前に、会議の模様や参加者の顔を思い浮かべながら、どのようなスペースをつくるのかを前もって考えておきましょう。検討すべきポイントは、文書作成ソフトでドキュメントをつくるときと同じです。

1）スペースの広さ

話し合いの密度と時間によって記録すべき情報量が変わってきます。ホワ

イトボードや模造紙が何枚必要なのか、あらかじめ見積もっておいて必要な
スペースを確保しておきましょう。模造紙の場合は、縦横どちらで使うかも
決めておきます。

2）文字の大きさと行間隔

　文字の大きさも行間もたっぷりとれば見やすくなりますが、情報量が減り、
散漫な印象を与えてしまいます。逆に詰めて書くと情報量を増やせ、濃い議
論をしているムードを演出できますが、参加者には見づらくなります。スペ
ースの広さと合わせて、ちょうど良いバランスを見つけましょう。

3）余白とインデント（字下げ）

　上下左右の余白を少し多めにとったほうが、窮屈な感じが和らぎます。後
でコメントを書き込んだりできて重宝します。いきなり余白を詰めて描き始
めないことです。また、見やすさのためにインデント（字下げ）も活用しまし
ょう。

4）段組とスペース配分

　ホワイトボードや模造紙の1面をどれくらいに分割して描いていくか、段
組によっても情報量や見やすさが変わってきます。話し合いの展開を思い描
きながら、どこに何を描いていくかを計画していきます。また、話し合いは
予想がつかない面もあり、予備のスペースをとっておくことも重要です。

図 2-12 ｜ スペースの構想を練る

話し合いの流れが分かりやすいリスト型

　スペースの使い方がまとまったら、次はフォーマットです。基本フォーマットとしては、リスト（リニア）型、チャート型、マンダラ（オービット）型の３つがあり、話し合いの種類や展開に応じて使い分けていきます。

　リスト型とは、議論の流れに沿って箇条書きで記録していく方法です。誰でもでき、どんな話し合いでも使えるのが特長です。まずはこのフォーマットでキッチリと描けるようになっておきましょう。やり方に２通りあります。

意見を記録する発言録型

　発言録型はもっとも簡単なファシリテーション・グラフィックです。自信のない人はまずここから始めてみましょう。

　やり方は、●□などの行頭記号や数字を打って、その後に発言の要旨を書き、箇条書きで発言を記録していきます（発言者を書き添える場合も）。質疑応答では行頭記号をQとAにして、色分けして書くと分かりやすくなります。単なる羅列では発言相互の関係が分かりづらいなら、矢印で結んだり、囲み図形を使って同じ傾向の意見をグループ化したりするとよいでしょう。

プロセスを記録する議事録型

　発言録型をマスターしたら次に覚えたいのが、発言を順に記録するだけでなく、議事録のように話し合いのプロセスを記録していく方法です。写真を撮ればそのまま議事録になり、後で正式な議事録を起こしやすくなります。

　今度は、アジェンダに沿って番号や見出しをつけ、ポイントとなる意見や合意事項を記録していきます。議論が多岐にわたる場合は、さらに小見出しをつけたりインデント（字下げ）を使ったりして、階層化をするとずいぶん見やすくなります。慣れれば、ツリー型のチャートへも展開できます。

　発言録型でも議事録型でも、単に文字を並べただけだとポイントが分かりづらくなります。強調のテクニックを駆使して、キーワードや合意事項が目立つように工夫を凝らしてみてください。

図 2-13 ｜ まずはリスト型を使いこなそう

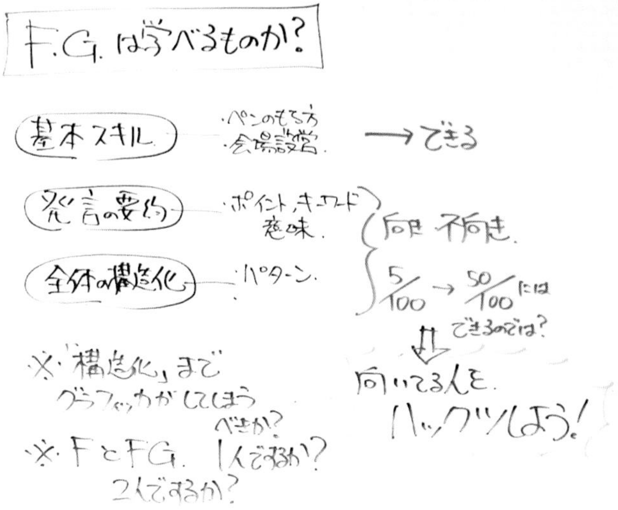

F.G. は学べるものか？

基本スキル — ・ペンのもち方 ・会場設営 → できる

発言の要約 — ・ポイント,キーワード ・意味

全体の構造化 — ・パターン

（向き不向き。 5/100 → 50/100 には できるのでは？）

↓

向いてる人を ハックツしよう！

※「構造化」まで グラフィックがしたほうべきか？

※ F と FG. 1人でするか？ 2人でするか？

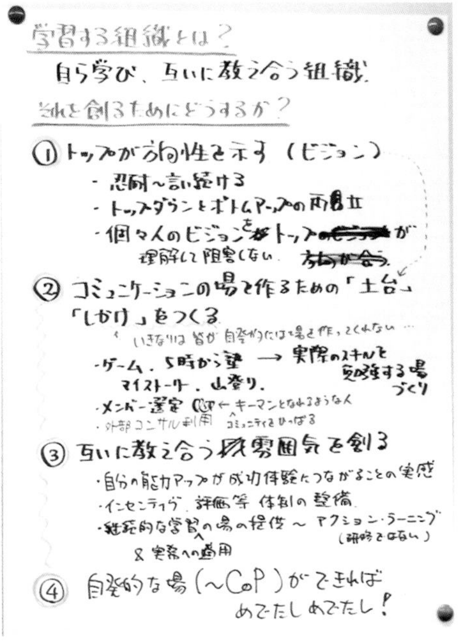

学習する組織とは？
自ら学び、互いに教え合う組織
それを創るためにどうするか？

① トップが方向性を示す（ビジョン）
- 忍耐〜言い続ける
- トップダウンとボトムアップの両立
- 個々のビジョンをトップのビジョンが 理解し阻害しない 方向で合う

② コミュニケーションの場を作るための「土台」「しかり」をつくる
いきなりは皆が自発的には場を作ってくれない
- ゲーム、5時から塾 → 実際のスキルを 勉強する場 づくり
  マイスター塾、山登り。
- メンバー運営（← キーマンとなるようなん）
- 外部コンサル利用（コミュニティはひっぱる）

③ 互いに教え合う雰囲気を創る
- 自分の能力アップが成功体験につながることの実感
- インセンティブ、評価等 体制の整備
- 継続的な学習の場の提供 〜 アクション・ラーニング（研修ではない） & 実系への適用

④ 自発的な場（〜CoP）ができれば めでたし めでたし！

■議論のヌケモレが少ないチャート型

議論の構図が一目で分かる

　チャート型は、マスターするのに少し練習が要るものの、ひとたび慣れてしまえば、分かりやすくて使いやすい方法です。メリットは、何といっても議論の構図が一目で分かることです。意見が対立している場合は表（テーブル）を、論点が階層的になっている場合はツリー図を使うなど、適切なチャートの選択ができれば、描き方の上手い下手がさほど気にならなくなります。

　しかも、一旦チャートで整理した後は、それに沿って議論を進めていけば、論点があちこちに飛ばず、話し合いの進行がかなり楽になります。重要なポイントを漏らすこともなく、幅広い視点で問題を考えることができます。チャートを元に発想も大いに広がります。

２つの基本パターンを覚える

　チャートには100種類以上のパターンがあり、たくさん覚えれば覚えるほど応用範囲が広がります。いきなり全部覚えるのは大変ですので、まずは「グループでまとめる」「表でまとめる」の２つをマスターしてください。

　この２つがあれば、全部とは言わないものの、ほとんどの場合は対応できるはずです。その上で、それぞれの応用パターンや、別のタイプの図解を覚えていくとよいでしょう。

１）グループでまとめる

　同じ範疇の意見を囲み図形でくくって整理していくやり方です。あらかじめ視点（切り口）を用意してそこに意見を書いていく方法と、書きながら視点を見つけてグループ化していく２通りの方法があります。小グループ、中グループ、大グループと入れ子をつくれば、階層的な整理にもなります。さらにツリー図に描き直せば、モレやダブリのチェックがやりやすくなります。

２）表でまとめる

　「賛成／反対」「メリット／デメリット」「Ａ案／Ｂ案／Ｃ案」など、比較検討

すべきアイデアについて、いろんな視点（切り口）から、多面的な意見を出し合って整理するのには表が一番便利です。「経営面／人事面／販売面…」など評価軸が複数ある場合は、マトリクス型に整理すると体系的・網羅的な議論ができます。視点が多すぎて見にくいようなら、視点を階層化してやるとよいでしょう。

同意を得てから始める

ただし、チャート型で注意してほしいのですが、必ずメンバーの同意をとってから、図解ツールを取り出すようにしてください。どの図解を使うかによって、議論のプロセスがかなり決まってしまいます。ファシリテーターが図解を一方的に押しつけると、メンバーは議論のプロセスを押しつけられた格好になり、話し合いそのものの納得感が下がってしまいかねません。

いきなりツールを持ち出すのではなく、最初は自由に議論をしながらリスト型やマンダラ型（後述）で記録し、その上で「こんなまとめ方はいかが？」とツールの使用を提案したほうが、すんなりと受け入れられるでしょう。

図 2-14 ｜ チャート型でスッキリまとめる

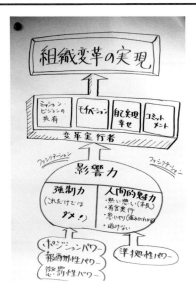

自由奔放に発想が広がるマンダラ型

空間に振り分けながら描いていく

　最後の**マンダラ型**は、中心から四方八方に意見やアイデアを描いていく躍動感のある描き方です。自由奔放にアイデアを出し合うときや、多彩な意見を整理していくときに使います。有名なマインドマップもその一つです。

　まずスペースの中心に話し合いのテーマを書き、囲み図形や網掛け（97ページ）で強調します。話し合いが始まって意見が出始めたら、たとえば最初は左上のスペースに発言を描きます。似たようなアイデアや同じ主旨の発言であれば、そのまま左上のスペースにどんどん描いていきます。

　そのうちに、議論の方向性が変わったら、次は、たとえば右上のスペースに描きます。やはり、同じような話が続いているうちは右上に描き続け、また違う話になれば新しいスペースに描いていきます。もちろん、話が戻れば元のスペースに描き足し、最後は囲み図形で仕上げます。

　これを繰り返していると、発言を記録しながら整理ができます。中心からアイデアが広がっているように描かれているせいで、視覚的にも発想が刺激されます。さらに、隣同士のグループの重なりから新しいアイデアが生み出しやすくなります。まさに曼荼羅のように発想の宇宙が広がっていくのです。

最初の見極めが大切

　マンダラ型には一つだけ難点があります。ひとたび中心にテーマを書いたら後へは引き返せません。最初のスペースの割り振りに失敗すると苦労します。四方八方に伸びていくため、スペースを継ぎ足すことも難しくなります。描きづらくなっても、最後までやり通さなければいけないのです。

　そのため、テーマの広がりを頭の中で想像し、どのようにスペースを使えばもっとも効果的か、最初に勘を働かせておかなければなりません。マンダラ型で書ききれるかどうかの見極めが大切です。うまくいくと素晴らしいだけに、リスト型よりもリスクの高い方法なのかもしれません。

図 2-15 躍動感あふれるマンダラ型

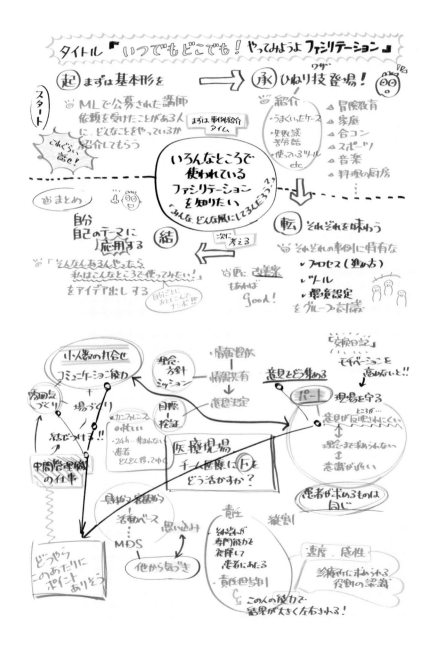

グラフィックを活かす場づくり

皆が見てくれる「場」を設定する

　ファシリテーション・グラフィックは、「みんなで見ながら議論」してはじめて真価が発揮されます。そのために、グラフィックを皆が見てくれるような**場づくり**が大切です。

　まずは座席の配置です。ホワイトボードや模造紙に皆の顔が向くように椅子を並べます。たとえば、テーブルを寄せ集めてひとつの島にしたり、コの字型に並べたりして、全員からキャンバスが見えるようにします。

　プロジェクタも使う場合には、その横に置いたり、いっそのことその逆の位置に置いたりします。座席が移動できない場合には、どこにホワイトボードや模造紙を配置すれば皆から見やすいかをよく考えて、場所を定めましょう。

　人数が多め（10名超）になってきたら、机を使うことの優先順位を下げます。つまり、机を無しにして、椅子だけをキャンバスを取り囲むように扇型（シアター型）に配置すると、全員で顔もキャンバスも見ながら議論する空間をつくり上げることができます。

図 2-16 ｜ グラフィックを見てもらえる配置を

テーブルの上にノートや紙を広げて描きながら会議する場合には、真向かいに座るのではなく、なるべく同じ方向から見られるように、席を移動させます。研修のグループワークで机の上に模造紙を広げて話し合うときも、立ってでもよいから同じ方向から見るように心がけます。

さらに、ファシリテーション・グラフィックを皆がなるべく意識してくれるように、壁に大量に紙を貼っておき、皆が来る前にデカデカと目立つタイトルを描いておくとよいでしょう。

必要なスペースを見切って確保する

グラフィックをうまく配置するには、キャンバスのスペース（広さ）の見極めがポイントになります。目安としては、標準的なサイズのホワイトボードを使って描くと、30分から1時間程度でスペースがいっぱいになります。両面を使っても2時間くらいが限界です。模造紙の場合は、それより面積が小さいので、ホワイトボードの約半分程度の時間しかもちません。

それ以上、議論が長くなるようなら、ホワイトボードなら途中で消して描き直すか、複数のホワイトボードを用意しておきます。模造紙の場合は、スペースの継ぎ足しでムードを壊さないよう、必要な枚数をあらかじめ部屋に貼っておいたり、描いた分から剥がして新しい模造紙が出てくるように重ね貼りしておきます。ホワイトボードと模造紙を併用するのでもOKです。

極端な話、余裕のあるスペースを確保しておけば、後はどうにでも料理できます。筆者は海外でプロのファシリテーターが進行する2日間の会議に出席したことがあります。そのときに驚いたのは、部屋に到着するやいなや、ファシリテーターが部屋いっぱいに紙を貼り始めたことでした。壁はもちろん窓やドアにまで。部屋全体を一大記録スペースに変身させてしまいました。

その後、議論のテーマが変わるごとに、記録スペースを移動させ、参加者もその周りに集まるといった具合に会議が進んでいきました。2日間の会議が終わったときには、見事にすべての紙が議論で埋め尽くされ、あらためてファシリテーション・グラフィックの効力を思い知らされたのでした。

必要なスペースは議論の質やメンバーの状況によって大きく変わります。少し余裕をもってスペース取りをしておけば、後であわてなくて済みます。

話し合いの段取りをする

▚ 論点とゴールを設定する

テーマを示す

　まず、何について話し合うのか、共通認識をつくるために、キャンバスにテーマを書きます。

　新商品の企画を考える会議なら「新商品企画アイデア出し」、来期の方針を検討する会議なら「来期方針検討」、部署の困りごとを洗い出す会議なら「〇〇部の現在の問題点」、あるいは、PTA活動の見直しをするなら「PTA活動の見直し」といった具合です。少々大きめの目立つ文字で書きたいところです。

論点を「疑問文」で明確に示す

　テーマだけ書いておいて混乱なく進むなら、それでよいかもしれません。しかし、念には念を入れ、**論点**まで書くことをお勧めします。「来期方針検討」だけ書かれてもザックリしすぎていて、結局何を考えればよいのか、何を発言すればよいのか、分からないからです。

　複数のメンバーがいれば、各人が「多分これを発言すればいいんだろう」と自分の判断で発言を始めます。当然のことながら、ずいぶん着眼点の違う意見が同時に出てきて、「どうしてみんなこんなバラバラなことを言うんだ!」とファシリテーターが困ることになるのです。

論点とは、何を考えるのか、何について発言するのか、を示すものです。議題やイシューと呼ぶこともあります。疑問文で書くことで明確になります。

　たとえば、「来期方針検討」というテーマひとつとっても、

　　・今期やりきれなかったことは何か？

　　・来期はどのような大きなイベントが想定されるか？

　　・来期の目標は何か？

　　・達成のためのハードルは何か？

　　・これらを踏まえると、来期注力すべき取組みは何か？　…など

とさまざまな論点が考えられます。「今期やりきれなかったことは何か？」と問われれば、メンバーの側もそこに集中して考えやすくなり、その場に出てくる意見も揃ったものになります。

　意見がバラバラになりそうなとき、議論すべき内容が多岐にわたるとき、あるいは順を追って議論していきたいときには、論点を疑問文の形で書いておきましょう。名詞だけ書いたり、「名詞＋について」という言葉遣いで論点を書いたりしないのが重要なコツです。

ゴールを提示する

　論点とあわせて、みんなで共通認識を持っておきたいのが、話し合いの**ゴール**です。話し合いが終わった段階でどういう状態になっていればよいのか、を認識合わせしておくのです。

　ゴールについても、丁寧な表現にしておくと参加者の間の認識のバラツキが抑えられます。たとえば、「ゴール：問題点の洗い出し」と書くと、どこまでやれれば洗い出しが終わったと言えるのか共通のイメージが持てません。

　　・「ゴール：思いつく問題点を全員が言いきる」

　　・「ゴール：問題点の洗い出し　〜30項目ぐらい〜」

など、少し説明を書き加えておくと分かりやすくなります。さらに、

　　・「ゴール：問題点の洗い出し　〜30項目ぐらい〜　×絞込みは次回」

としておくと、今日はひたすら問題点を出せばいいんだ、という共通認識がより確実に形成できます。

　キャンバスにゴールを描くときには、色を変えたり、吹き出しを付けたり

して、テーマや論点とは違う位置づけであることが分かるようにします。あわせて、端のほうに予定終了時刻も書いておくと、終了時刻を意識して参加してくれるメンバーが増えて、進行がよりスムーズになります。

そのほかに書いておきたいこと

　それ以外に、議論の前提や背景、あるいは話し合う上で守りたい**ルール**（約束事）などがあれば、書いておきましょう。

　他に、話し合いの日付を書いたり、模造紙を何枚も貼る場合には①②…とページ番号も打ったりしておくと、後で重宝します。

図 2-17 ｜ まず話し合いの段取りを描いて確認する

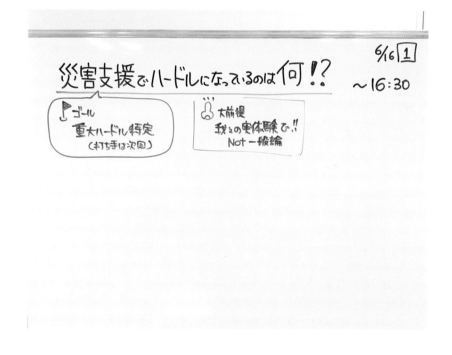

▬話し合いのプロセスを表現する

手順を示す

　実際の話し合いは、ステップを踏んで進めることがとても多いです。

　たとえば、皆でTo Do（やるべきこと）の役割分担を決めるような会議では、第1ステップでTo Do項目を洗い出し、第2ステップで誰がどれを担うかを決めるのが通例です。時間が全部で30分なら、第1ステップで15分、第2で15分といった時間配分をすることになります。

　ところが、この流れを全員がしっかり認識していないことが多くあります。2つのステップが混在して進んだり、気づけば第1ステップで25分使ってしまったり、というようなことがしばしば起こります。

　ファシリテーション・グラフィックでは、話し合いの**手順**を皆に見えるように描きましょう。この例ならば、以下のような具合です。

　　1．To Do洗い出し　15分
　　2．役割分担決め　15分

　もう一つ例を挙げましょう。何かの困り事に対する解決策を考える会議を催すとします。今度は、まず現状何が起こっているのかを共有し、その原因を考えた上で、対策をアイデア出しし、判断基準を設定して最終的に良さそうな策を絞る、といった手順になります。であれば、以下のように各ステップの論点を順に並べて描いて示すようにします（時間はあくまで一例です）。

　　1．何が起こっているのか？　15分
　　2．発生原因は何か？　15分
　　3．発散：どんな解決案が考えられるか？　15分
　　4．判断基準を何にするか？　5分
　　5．収束：どの解決策を採用するか？　10分

流れを表現する

手順を示す以外に、キャンバスを見れば流れが自然と分かるように描くのも一法です。先ほどのTo Do役割分担会議ならば右図のようになります。

図2-18 | 議論の流れを示す

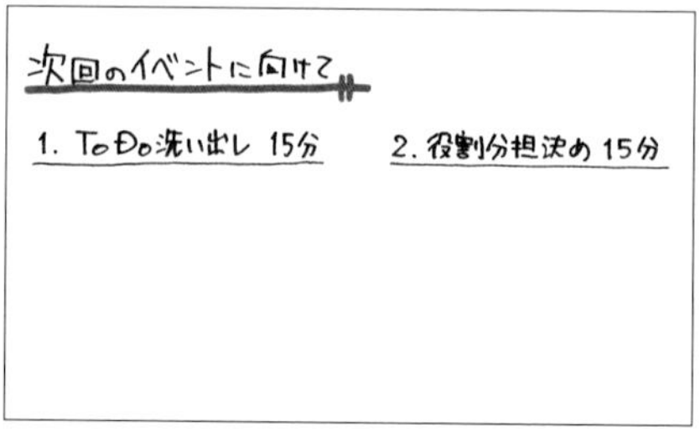

こう描かれると、特に説明を受けなくても、まず左側の議論をしてその後に右側に移っていくんだ、と誰でも認識してくれます。

　もし、ダラダラしていて左側の議論ばかりしていると、左側が埋まるばかりで、右側はずっと空白のまま残ります。きっと参加者の中に「あ、まずい」と気づいてくれる人が出てきます。つまり、ファシリテーション・グラフィックが、参加者を流れに「乗せて」くれることになるのです。

実践のヒント③

Q　独立した多数のテーマを順番にこなしていく定例会議があります。どのように準備したらよいでしょうか。

A　会議体の名前と終了時間を書いたら、ひとまず予定されている議題を全部ホワイトボード上に並べます。このときに、連絡、報告、相談、検討、決定など、話し合う目的を書き添えておきます。
　会議が始まったらそれを見ながら、重要度や緊急度を勘案して、議題の順番を話し合います。決まったら番号をつけ、時間を割り振っていけば準備は完了です。この作業をやりやすくするために、大きめの付箋やA4紙に議題を書く手もあります。

着眼点を示す

　キャンバスの上に示したいのは、話し合いの手順ばかりではありません。検討の着眼点（切り口）が複数あるときに、その**着眼点**を描いておくことで、皆が議論しやすくなります。

　たとえば、皆さんが飲食店を経営していて、お店の売上向上策を考えたいとします。検討の着眼点として「メニュー」「店の雰囲気」「接客」「宣伝」が思い浮かんだとしたら、その項目を描いておくのです。

　「売上を上げるには？」と問われるよりも、「売上を上げるにはどんなメニューにすればよいか？」のほうが、具体的論点が絞り込まれて考えやすくなります。しかも、着眼点を設定すれば、網羅的に検討できたかどうかチェックしやすくなります。

　この応用がフレームワークです。施策の妥当性を検討するときには「メリット／デメリット」、世の中の大きな動きを把握するときには「政治／経済／社会／技術」（PEST）、自社の事業の現状を押さえるときには「市場／競合／自社」（3C）などを使います。フレームワークを使うのが便利だと考えられる場合には、それをキャンバス上に示しておきます。

図 2-19 ｜ フレームワークを使って着眼点を示す

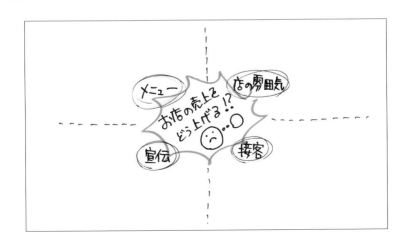

皆の発言を
書いていく

▬記録の基本サイクルを回す

グラフィックするときも聴くことを意識して

　準備ができて、話し合いがスタートしたら、いよいよ、皆の発言を文字に落として書き留めていく段階に入ります。

　その前に意識してほしいことがあります。皆に背中を向けたままでずっとキャンバスにかじりついて、ひたすら黙々と記録をしていけばいい、というわけではありません。

　ファシリテーション・グラフィックはあくまで話し合いを盛り上げ、筋道を示し、参加者の人たちに「今日は参加し甲斐があったなあ」「実り多い話し合いができたなあ」と実感してもらうための手段の一つです。場をしっかりとホールドしつつ、皆の発言を促し、受け止める役割を忘れてはいけません。

　つまり、メンバーの発言をよく聴くことがファシリテーション・グラフィックの出発点になります。それも耳だけ使っていればよいのではなく、発言しているメンバーのほうに目や身体を向けて、うなずきながら、聴く姿勢を見せることが大事です。

　発言が一区切りしたら、そのまま黙っているのではなくて、相手の発言を「…ですね?」と口に出して確認します。コミュニケーションの分野では、復唱と言われている方法です。これで相手の発言を受け止めたことになります。

さらなる発言を促す

　その上で、キャンバスの方にクルっと向き、ペンを（丁寧な字の書ける限界のスピードまで）素速く動かして、その発言を書き留めます。

　終わったらすぐに振り返って、また発言者を見ましょう。目を合わせたときに発言者がうなずいてくれたり、ニッコリしてくれたりすれば、あなたの記録は的確であると確認できます。逆に、ちょっと怪訝そうな表情や何か言いたそうな素振りをしていれば、「あれ？　ポイントがズレていますか？」と訂正を求めます。

　では、発言者が満足そうなら、それで終わりでしょうか。いえ、まだ先があります。その発言はまだ掘り下げが必要なことが多いのです。

　たとえば「うちの職場の問題点は何でしょうか？」という論点で話し合っているときに、「雰囲気が暗いんですよね」という発言が出てきたら、「雰囲気が暗い」と書いて終わりにせず、実際にどういう経験をしたのか、具体的にどういうところが暗いと思うのか、などを聞いていかないと、その人の意見をしっかり引き出したことになりません。

　そこで必要なのが質問です。具体性が足りないと思ったり、「この人は、第一声を発しただけで、まだ話したいネタを持っているのだろう」と感じたりしたら、そこを掘り下げるための質問を投げかけます。もちろんこのときにもその人のほうに視線や身体を向けます。

　さらに、その人の発言が一区切りついたらついたで、今度は他のメンバーに視線を投げかけて、「他の方、いかがですか？」「次、どなたかいってみましょうか」「あ、○○さん、今のご意見に乗っかっていかがですか？」などとパスを出していかねばなりません。

愚直にサイクルを回して腕前を上げていく

　このように、グラフィックをするときには、「皆のほうを見る⇔キャンバスにペンを走らせる」の作業が交互にやってきます。かなり忙しいと腹をくくりましょう。

　初めてファシリテーション・グラフィックを実践すると「描くだけで精一

杯なのに、とても無理です」と悲鳴をあげる方が少なくありません。初心者のうちは、メンバーを若干待たせてしまうのをあまり気にせず、「聴く→受け止める→描く→確認する→質問する or パスを回す」のサイクルを生真面目に回してみてください。

そうやって経験・トレーニングを積んでいくうちに、「…ですね?」と受け止める作業と、ペンで描く作業を同時に進められるようになり、ペンを走らせながら「たとえば、どんなところで?」「そこから先は?」「他の人は?」などと問いかけられるようになって、スピードアップしていきます。

ちなみに、話し合いが始まってしばらく経ち、メンバーの発言にエンジンがかかってきたら、いちいち皆を見ずにキャンバスに向いたままでも、場をホールドできるはずです。だんだん余裕を持って描くことができるでしょう。

図 2-20 ｜ 意見を描き留めるサイクル

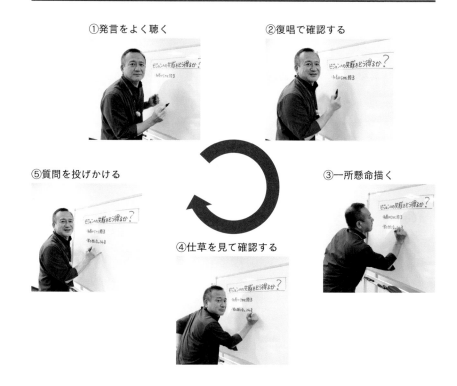

①発言をよく聴く　　②復唱で確認する

⑤質問を投げかける　　③一所懸命描く

④仕草を見て確認する

後々のことを考えて余白を取る

　次々と出てくる意見を描き留めていく際、1行1行をキチキチに詰めて描いていく人が少なくありません。日ごろのノート取りの癖からか、あるいはキャンバスがいっぱいになったら困るという恐れからかもしれません。

　しかし、行間を取らずに詰めて描くのはあまり得策ではありません。何より読み取りづらくなってしまいます。字がゴチャっと固まって描かれていると、パッと見て分かりにくくなります。

　もっと困るのは後の料理がしにくくなることです。たとえば、すでに描いた意見に関連する意見を近くに配置したくてもできません。「ここが重要だ!」というのが見えてきて、赤い枠で囲むか下線を引きたいのに、そのスペースがありません。あるいは、「○と△をまとめると□になりますね」という展開になったときに、まとめの言葉である□を書くスペースに困ります。

　少し小さめの文字になってもかまわないので、行間を取ってください。後々の料理の観点からは、左右の余白を取ることもとても大事な工夫です。

図 2-21 ｜意識的に行間・余白を取る

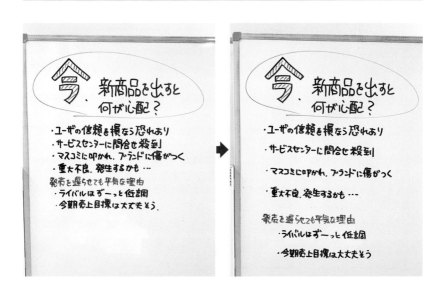

公平に発言を拾う

こんなことをしていませんか

　次に心がけたいのが、1人ひとりの意見を公平に拾って、分け隔てなく描き留めることです。

　自分の同意できる意見はちゃんと聴き、キャンバスにしっかり描き留める。ところが、同意できない意見や疑問を感じる意見になった途端に、あまり熱心に聴かず、描きもしない。これがダメなのは誰でも分かると思います。ここまで極端な人はあまりいませんが、話し合いの内容に対する思い入れが強いとこうなりがちです。気をつけなければいけません。

よく分からない意見も拾う

　あるいは、すっきりクリアな意見、言い換えれば文字にしやすい意見は描くけれど、何を言っているのか分からない意見は描かない。そんなケースもあります。

　おそらくファシリテーター自身も不公平な振舞いをしている意識はなく、「よく分からない」「描きようがない」と思っているうちに、なんとなくスルーして次の人の意見に…。それが現実なんだと思います。

　ところが、そうやってごまかしていても、いずれ向き合わざるをえなくなります。発言者は意見を取り上げてもらえた実感が薄いので、再度同じ意見を出してくるからです。言い方を変えるなどして。

　よく分からない意見が出てきたら、「ここは正念場」「意地でも意見を拾って描いてみせる」と腹をくくってください。「なんと書いておけばいいですか?」「…ということですか?」と尋ねてみる。とりあえず自分流で書いてみて「このように書いてみましたが、真意を汲み取れていますか?」と確認する。そうやって、よく分からない発言も公平に扱うようにするのです。

　ただし、明らかに論点からズレた意見が出てきたときには、**パーキングロ**ットという方法を使います。

「ありがとうございます、…というご意見ですね」と発言を受け止めた後、「申し訳ありませんが、今のテーマから少しはずれるので、後で（あるいは、別の機会に）議論しませんか？」とポイントをキャンバスの端などにメモしておくのです。こうしておけば、発言を無視したことにならず、議論の妨げにもなりません（案外、後で議論しようにも本人が忘れているケースが少なくありません）。

図 2-22 ｜ パーキングロットに退避させる

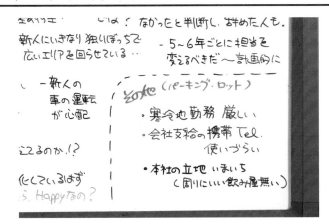

小さい声も拾う

加えて、自信のある声の大きい意見ばかりを拾って、控えめにおずおずと発せられた意見を拾わない、といったケースも見受けられます。「自分の意見はたいしたことはありません」といったトーンで発言されると、つい描かずに流してしまうことが多くなります。

こういうつぶやきのような意見こそしっかり拾い上げてください。案外、議論に役立つ斬新な視点が飛び出すものです。

なかには「〇〇さんと同じ意見です」「みんなと一緒なので大丈夫です」と言う方もいます。その人があまり口を開かない人なら、「同じなのですね。何か補足意見をよろしくお願いします」と少し迫ってみましょう。なんとかその人特有の見解を引き出して、キャンバスに描くようにしてください。

グラフィックの良し悪しは要約力で決まる

　発言を書くといっても、すべての発言を一言一句書き留めることなど到底できません。できたとしてもキャンバスは文字だらけになって、何を話し合ったかが分かりづらくなります。

　ファシリテーション・グラフィックでもっとも難しいのはここです。発言のまとめやポイントの抜き出しが下手だと、要領を得ない記録となり、議論を深めることができません。発言のどの言葉に着目するかで意味がまったく変わってしまいます。せっかく意見を書き留めても、文字にした内容が元々の発言の主旨からズレてしまっていたら、メンバーも納得がいきません。

　ファシリテーション・グラフィックの良し悪しは、文字や色の美しさでも図解の使い方でもありません。**要約力**で決まります。これこそが命といっても過言ではないでしょう。

あなたならどうまとめますか

　たとえば、「ウチは部品の海外調達率がまだ低く為替の影響を受けやすい。販売も現地代理店に任せっぱなしで独自の販売網が築けていない」と発言した人がいたとします。ファシリテーターとしてはどのように要約して記録するのが適切でしょうか。少し考えてみてください。

　よくある悪い例を挙げると、「グローバル化の遅れ」といったまとめ方です。そう考えた人が多いのではないかと推察します。一体、何がいけないのでしょうか。

　議題によってはこれで事足りるのかもしれませんが、ここまで抽象化してしまうと、発言の真意が分からなくなってしまいます。記録したとしても、後で「これって何の話だったっけ?」となり、使い物になりません。意味不明の言葉を並べても、議論そのものが抽象的になり、何を話し合っているか分からなくなります。実のある結論が出るとはとても思えません。

第一、発言者自身は「グローバル化」「遅れ」という言葉は一切使っていないのです。ファシリテーターがもっともらしく響くビジネス用語に勝手に変換してしまったと言えるのではないでしょうか。

　そうすると、発言した当の本人は、ちゃんと自分の発言を受け止めてもらった感じがしません。ファシリテーターに都合よくまとめられた気がして、下手をすると話し合いへの参加意欲が下がってしまいます。

発言者の言葉を使って要約する

　これを避けるには、勝手に自分の言葉に変換せずに、発言者自身の言葉を使って要約すればよいのです。発言全体を抽象化するのではなく、発言の中からキーワードを抜き出して短文にまとめるようにします。「海外調達率が低く独自の販売網がない」といった具合に。

　こうしておけば、発言の元の意味が残り、議論の素材として活用できます。当人にしても、発言の意図がみんなに伝わった気がします。

　もちろん、ファシリテーター自身の言葉で抽象化するのが100％悪いわけではありません。長い発言になればなるほど、そうせざるをえない場合が増えてきます。

　それでも、できるだけ当人の言葉を生かして要約するように心がけてください。そのためのコツを今から紹介していきたいと思います。

残すべき部分を判断するには

　残念ながら「こうすれば必ず間違いなく要約ができる」という定石はなく、いくつかの有用な経験則を紹介したいと思います。まずは、発言の中で残しておくべき重要な部分を特定する原則です。

□頻出ワード（文）に着目する

　発言の中で何度も繰り返し出てくる言葉は、多くの場合キーワードです。同じように、何度も同じ表現が繰り返し登場したなら、その部分はキーフレーズだと考えてよいでしょう。

□ユニークな言葉に着目する

　その方が好んで使うユニークな表現や、オリジナルな言葉の中に、発言者

の思いが隠されていることがよくあります。重要な言葉として要約文をつくるのに活用するとよいでしょう。

□導入の言葉に着目する

「今から…という意見を述べたいと思います」「結論を先に言えば…」といった導入の言葉の後に、キーワードやキーフレーズが表れることが多いです。同様に「まずは…」「次に…」「1つ目に…」といった言葉に着目すると、複数のキーワードを拾いやすくなります。

□まとめの言葉に着目する

「つまり…」「要するに…」「したがって…」といった表現の後にキーワードやキーフレーズがきます。逆に「なぜならば…」「その訳は…」といった理由を示す表現は、発言の意味を理解するには重要ですが、一般的には、論旨を要約する際には重要ではありません。

□全体構造から読み取る

多くの場合、発言はいくつかのブロックに分けられるはずです。背景→判断基準→結論という並びで説明する人もいれば、仮説→検証①→検証②→考察という並びで主張する人もいます。発言の構造を見つければ、発言のポイントの判断がつきやすくなります。

□違いから読み取る

できるだけ多様な意見を集めたほうが議論の幅が広がります。そういう意味では、すでに出た意見とは違う部分を優先的に採り上げるようにするとよいでしょう。前に出た意見と同じだと思ったときは、すでに書かれたものを指差し、「どこか違うところはありませんか?」と促していくのも一つの方法です。

□場の雰囲気から読み取る

聴いていて心に響く言葉は採り上げるべきです。特に、みんなが「そうそう!」と盛り上がった言葉は、多少テーマからズレていても、必ず採り上げましょう。

こういう言葉は、場の雰囲気をメンバーに色濃く思い出させる力を持っています。後で議論の展開に役に立つことも多いです。盛り上がった場の雰囲気を取り逃がさないように、いつもアンテナを研ぎ澄ませていてください。

削ってよい部分を判断するには

重要な部分を一所懸命探していると、どれも重要に思えてきて結局要約できないという人も少なくありません。であれば、削ってよい部分を見極める力をつけるのも一法です。「どれも残したい。けれど、現実には無理なので、泣く泣く削るとしたらこの部分だ」と。そのときは、以下に挙げる原則にのっとって考えてみてください。

□論点に直接答えていない部分を削る

たとえば、「うちの職場の残業時間を減らすにはどうするか?」を議論しているとしましょう。ある人が「資料作成に膨大な時間がかかっているんです。本部長から『あの数字はどうなった?』とよく聞かれるので、あらゆる数字に関する補助スライドを準備せねばなりません。数字・グラフをその場で加工して見せるツールを入れてもらえませんかね」と発言したとします。

論点が「どうするか?」ですから、前半の「資料作成に~準備せねばなりません」の部分は論点に答えておらず、削れます。「数字・グラフをその場で加工して見せるツール導入」のように書けばよいことになります。

一方、論点が「うちの職場の残業時間が減らないのはなぜか?」だったら、最後の「ツールを入れてほしい」は論点に直接答えておらず、むしろ前半こそが主役になります。「資料作成に膨大な時間がかかる」と書いて、余裕があれば「数字の補助スライドが大変」と書き加えることになるでしょう。

ファシリテーション・グラフィックをするときには、自分自身が常に論点(今、何の話をしているのか?)を押さえておくことが重要になります。ちなみに、発言の中に論点に答えている部分がまったくない場合には、相手に「なので?」と問いかけて、本来言いたいことを引き出すとよいでしょう。

□例示を削除する

発言の中で一般論と具体例の両方が出てきたら、後者は削ります。たとえば「近年、地球規模で環境破壊が急速に進んでいる。たとえばブラジルでは…」となったら、「たとえば」以下は切り捨ててもよいことにします。

具体例ばかりをしゃべる人がいたら、キーワードを小さめの字で書き留めつつ、どこかで「要するにどういうことになりますかね?」と問いかけて、一

般論を引き出す努力をします。

□繰り返しを削除する

　実質同じことを言っている部分が複数出てきたら、もっとも分かりやすい部分だけを残し、他は削ります。どの部分がもっとも分かりやすいかはファシリテーターの基準で判断してしまってよいでしょう。

□既知情報を削除する

　皆がすでによく知っている話や、すでに出てきた意見は、わざわざあらためて追記しなくてもよいでしょう。逆に言えば、皆にとって新規性のある情報を優先して残すことになります。

　たとえば、「心臓病の方は塩分や水分の摂取に気をつけねばなりません。ですが、それを気にするあまり栄養不良が問題になってきています」という発言があったとします。1文目がメンバーの間では常識となっている話なら、2文目が大事な新規情報なわけです。だったら、1文目は削ってよいと割り切ります。

要約文として完成させる

　ここまで述べた原則を総合して最終的に要約文ができあがります。この際には、端折りすぎないように注意してください。

　キーワード（単語）だけポツンと記録したのでは、元の発言がなんだったのか分からなくなる恐れがあります。なるべく述語も含めた短いフレーズの形で記録するのがポイントです。後で見たときに、どんな意見だったのかが思い出せるぐらいに書く、というのを鉄則にしてください。

　逆に、文字の量が増えてしまうと悩んでいる人は、1文字でも2文字でも削ってよい部分がないか考えてみてください。

　・文尾の「…する」「…である」の削除

　・助詞の「の」の削除

　・文意を損ねない程度の言葉の置き換え：例「足りない」→「不足」

　会議中にやるのが難しければ、事後でもかまいません。自分が描いたグラフィックを写真に撮っておき、後で「この文は、この文字を削ってもよかったな」と1人反省会をすることをお勧めします。

図 2-23 │ 要約文を練り上げる

論点 ： 今後、私たちはどのような営業活動をしていくべきか？

発言

論点外〜前置き

論点外〜前置き

頻出ワード

例示

頻出ワード

10年以上ここの営業をやっていますけどね、何も変わっちゃいませんよね。在庫の確認は、出先からアシスタントさんに電話して聞くか、オフィスに戻って自分で調べるしかないわけで、その間お客さんを待たせることになるんです。近頃はお客さんから「え？即答できないの？」とあきれられることもちょくちょくあって…。それと、1人ひとりが「これが売れ筋かなあ…」となんとなく直感で考えながら日々走り回ってるじゃないですか。お客さんに響くかどうかはいつも出たとこ勝負。要するに、営業の工夫が足りないんですよ。だって、そうでしょう？ 時代が変わっているのですから、やり方を変えないと。それには、まず何といってもITの活用ですよ。今どき、在庫数量や納期がパッと分からないようで、商談ができますか？ ○○センサが欲しいと言われたらその場で答えるのが今や当たり前なんです。それに、もっとデータを用いて売れ筋の分析をしないと。勘や足で稼ぐ時代じゃないんですよ。つまり、もっとデータと頭を使った営業のやり方に変えていくべきだといっているわけです。それで、スピードと正確性を持たせる、と。

追加の言葉

まとめの言葉

重要点の強調

追加の言葉

まとめの言葉

全体構造

文字数が多くとも、とにかく書き留めてみた要約事例

時代にあった営業のやり方をすべき。それにはIT活用だ！
　・在庫数量／納期をその場で即答できるように
　・データを用いた売れ筋分析（勘や足で稼ぐ時代じゃない）
足からデータと頭を使った営業へ
　　→　スピードと正確性を持たせられる

さらに文字数を削った要約事例

　　時代にあった営業のやり方を！ ⇒ IT活用
　　　・在庫数量／納期　即答
　　　・データで売れ筋分析　（勘×）
　　足からデータと頭へ！　⇒　スピード／正確性実現

087

描き方に
工夫をこらす

文字の書き方ひとつでこんなに違う

どんなペンにも共通する書き方のポイント

（1）大きめ、太めで、ガッシリと

　読みやすいように大きく太めにはっきり書きましょう。キャンバスの面積には限りがあり、野放図に大きく書くわけにもいきませんが、できる範囲で大きく書いてみてください。それだけでずいぶん存在感が違ってきます。

　見やすい字を書くには、ゴシック体を意識して書くのがコツです。四角のマスに字を埋めていくつもりで書いていくのです。四角ばった文字を書くと安定した感じになります。

（2）漢字を少し大きめに

　漢字を少し大きめに、ひらがな・カタカナを少し小さめに書くのもポイントです。そのほうがバランスが取れ、見やすくなります。また、限られた面積を有効に使うためにも効果的です。とはいっても、ひらがな・カタカナでキーワードを書くときには、漢字と同じぐらいに大きく書くようにします。

（3）下のラインをそろえる

　「漢字大きめ」の原則を守ると字の大きさが不ぞろいになります。それでも見た目を整然とした感じにするには、並んでいる文字の下のラインをそろえるのがポイントです。

（4）文字と文字の間隔を適切に

　時折、ソコソコいい感じで書けているのに、なんとなく全体に締まりがない、というケースを見かけます。よく見ると、文字と文字の間に不要な隙間があるのです。きちっとした雰囲気を出すには文字と文字の間隔を詰めること。スペースを稼ぐことにもなります。一方で、ゆるいポップな雰囲気を出したいときには、意図的に文字の間の空白を大きめに取るとよいでしょう。

（5）漢字を忘れたらカタカナで

　パソコンの漢字変換に慣れた私たちは、漢字がパッと思い出せなくなってきています。そういうときは、決然とカタカナで書きましょう。

　ひらがなだといかにも漢字を知らないように見えてしまいます。スラスラっとカタカナで書けば、「見やすくするため」「速く書くため」にそうしたと思われます。実際、画数の多い漢字（例：組織、業務）は、はじめからカタカナで書くと腹を決めておくのも一つの方法です。

図 2-24 ｜ 文字を書くポイント

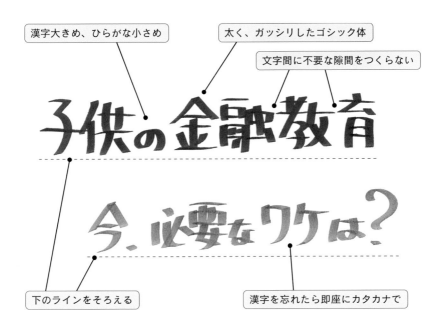

（6）上手ではなく丁寧に書こうとする

　上手に書こうと意識してもなかなか思い通りにはいきません。そうではなく、丁寧に書こうと意識してみてください。「ほんの少しだけゆっくり」書くのです。そう自分に言い聞かせれば、自然と読みやすい字になるはずです。

表情豊かな水性マーカー

　ここからは水性マーカーならではの書き方のコツを説明していきます。せっかくカラフルで存在感のある水性マーカーを使うのですから、ペンの太いほう（太字角芯）を使って字を書くようにしてください。

　慣れない人は、つい細い芯のほうを使って書きがちですが、細いヒョロヒョロした字だと、内容そのものが大したことのないように見えてしまいます。太いほうを使うと字がバカでかくなってしまうのでは、という不安があるかもしれません。やってみれば無用な心配だということが分かります。

　基本は「横線を細く、縦線を太く」です。そうすると、安定した文字に見えます。そのためにはペンを図2-26のように持ち、ペン先の角をうまく使って横線／縦線を描くようにします。横線と縦線を描くときで、くるくるとペンを「回さない」のがコツです。一度ペンを持つ向きを定めたら、回転させずに描いてみてください。

　少し細いコンパクトな文字を書きたいときには、ペンを90°回して、細い辺を使って縦線を描きます。その上で、細かい補足事項を書き込みたいときなどに、細い芯を使います。太いペンは力やエネルギーが伝えられ、細いペ

図 2-25 ｜ 文字の太さで印象が変わる

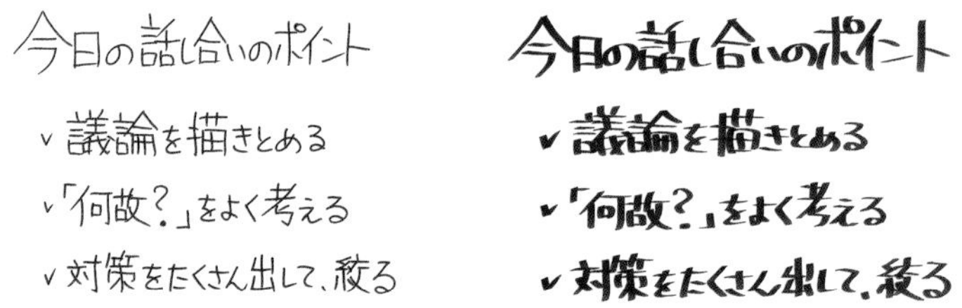

今日の話し合いのポイント　　　今日の話し合いのポイント

- ✓ 議論を描きとめる　　　✓ 議論を描きとめる
- ✓「何故？」をよく考える　　✓「何故？」をよく考える
- ✓ 対策をたくさん出して、絞る　✓ 対策をたくさん出して、絞る

ンは細かく書き込める——この違いを理解して使い分けましょう。

　なお、ここで説明したポイントは、角芯のホワイトボードマーカーを使うときにも適用できます。

図 2-26 ┃ ペンの持ち方と線の引き方

タイトル文字に装飾を凝らす

　タイトルに使う文字は、さらに装飾を凝らして、目立たせることができます。なぞって太くしたり、影文字にしたり、輪郭に色づけしたり、といった装飾を施してみましょう。

図 2-27 ┃ タイトル文字に表情をつける

PTAの活動を再考する

影文字にする

環境問題

輪郭に色づけけする（あとから輪郭を描くのがポイント）

斜めに書いて目立たせる

　最後に是非覚えてほしいのが「斜めに書く」という技です。大きな字で斜めに書けば、視覚的なインパクトが強く、一番強いメッセージという意味合い

091

を持たせることができます。話し合いのテーマ、論点を、キャンバスの真ん中に斜めに書くのは、よく使う技巧です。

　文字を大きくせずとも、水平に並んでいる文字列の中にあって、ある文字だけを斜めに書けば、必然的に目立たせられます。他とは異質の内容という意味合いもかもし出せます。たとえば、事実ではなく私見、疑問の投げかけ、補足事項のメモなどを書きたいときに活用できます。

図 2-28 ｜ 目立たせたいときは斜めに書く

実践のヒント④

Q　カラフルなグラフィックを描くにはペンを使い分けないといけません。ペンの持ち替えをスムーズにやる方法はありませんか。

A　手が大きい方は、利き手でないほうの手の指と指の間に、使いたいペンをはさんでおくやり方をよく用いています（キャップのほうをはさむのがポイント）。ファシリテーターズグリップと呼ばれる方法です。ただし3〜4本が限界で、もっと色数を増やしたい方は、ウエストポーチを腰にぶらさげてそこにペンを差しておくと取り出しやすくなります。あるいは、小さな机を近くに用意して、使いたいペンを並べておく手もあります。

━達人は色を巧みに使い分ける

ホワイトボードは黒と赤と青が基本

　今度は色の使い分けの話です。ホワイトボードにマーカーで描くときは、黒、赤、青の３色を使うのが一般的で、できれば緑も使いたいところです。この４色があれば、次のような使い分けができます。

　　＜黒＞大半の文章や図解を描く

　　＜赤＞重要なタイトルを枠で囲む、重要なキーワードに下線を引く、

　　　　　特に注意を引きたい文を書く

　　＜青＞少し目立たせたい文を書く、囲み図形を描く

　　＜緑＞補足事項を書く、囲み図形を描く

　前にも述べたように、最近は紫、水色、黄、オレンジ、ピンクといったマーカーもあります。華やかにしたければ使ってみるのも悪くありません。

図 2-29 ｜ ホワイトボードで4色を使い分ける

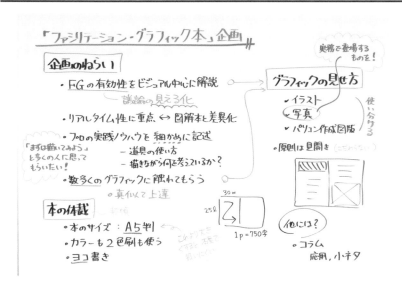

カラフルさが会議を元気にする！

　対照的に、紙に多色の水性マーカーで描く場合は、せっかくカラフルな色がそろっているのですから、なるべく黒以外の色を使いましょう。黒が多くなると、ファシリテーション・グラフィックが重くて硬い雰囲気になってしまうからです。彩りの豊かな色を使うと、それだけで話し合いの場が華やかになり、元気が出てきます。

□意見を書く 《青》《緑》《茶》

　普通に意見を書くときには、青、緑、茶を使います。緑、茶に比べると、青は少し目立つので、比較的重要な意見に使うことが多いです。逆に、茶は目立たないので、主要な意見に対する補足や背景を書きたいときに役立ちます。

　時々、「賛成意見は青、反対意見は緑、中立は茶」といった、内容に応じた色の使い分けを試みる人がいますが、あまりお勧めできません。やろうとしても判断に迷ってやりきれず、かえって分かりにくくなる恐れがあるからです（質疑応答を2色で書き分けるのならOK）。同じ色が続いて単調になるのを避けるために時折色を変える、という使い方のほうが実践的だと思います。

□映えて目立つ 《紫》

　並べて描くと分かりますが、紫は青、緑、茶に比べてひときわ映え、目立ちます。会議の議題・タイトルや重要なキーワードなどを書くときに使いましょう。だからといって、あらゆるところを紫で描いてしまうと、ポイントが目立たなくなり、見ていて疲れてしまうので注意してください。

□勝負色の 《黒》《赤》

　黒は地味な色ですが、青、緑、茶、紫を主役にしていると、いざ黒を使ったときにとても存在感が出てきます。黒は「ここぞ！」という一言を書くときに使ってみてください。

　一方、赤はとても目立ち、ホットなイメージを与えるものの、紫と同様にあらゆるところで使う色ではありません。やはり、いざという箇所で使う色と決めておいたほうがよいでしょう。焦点を絞り込んだり、対立や疑念、強い問題認識、あるいは最終結論を示したりするときに使うと効果的です。

□引き立てに力を発揮する《黄》《オレンジ》

　黄とオレンジで文字を書いても、色が薄くほとんど識別できません。アンダーライン、枠囲み、網掛け、影付けをしたりして、他の字を強調するのがメインの役目になります。網掛けとは、先に文字を書いておいて、その上から色を塗り重ねるやり方です。また、オレンジはやや色が濃いので、要素間の弱いつながりを示す連結線を引くのにも使えます。

　黄色には、見えにくさを活かした変わった使い方があります。皆からの意見がよく理解できないとき、あるいは、論点に照らして取り上げるべき意見なのかどうか判断しかねるときに、キャンバスの端に黄色でメモをしておきます。こうしておくと、「やはりあの意見は大事だった」と後で分かったときに、メモを見ながら書くことができるのです。

□重宝する《ピンク》《水色》《黄緑》

　普通はここまでの8色でファシリテーション・グラフィックを描くのですが、ピンク、水色、黄緑といった中間色をそろえておくと重宝します。黄、オレンジのように、アンダーライン、枠囲み、連結線に使っても映えますし、ちょっとした補足的な文字を書いてもそれなりに読めます。

図 2-30 ｜カラフルに色を使い分ける

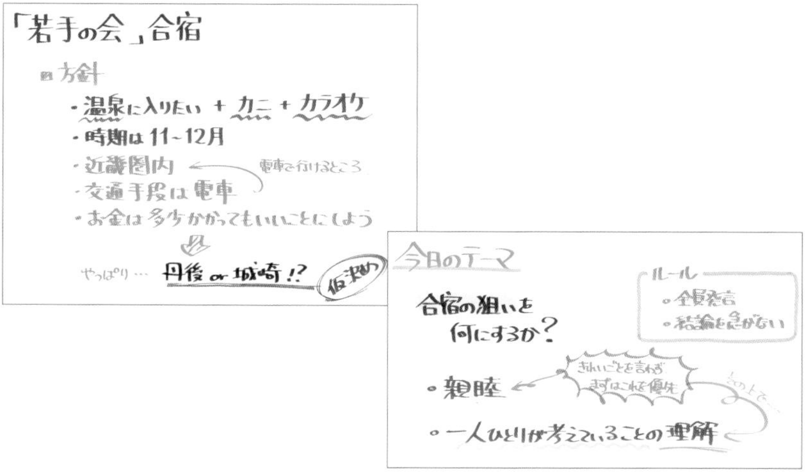

■■いろんな記号を使いこなす

記号はさまざまな働きをする

　ファシリテーション・グラフィックは文字だけから成っているわけではありません。箇条書きの頭につける行頭記号、アンダーライン、囲み図形、矢印などもファシリテーション・グラフィックの大事な要素です。こういった記号は、次のような働きをしてくれるからです。

　　・強調する
　　・分離を明確にする
　　・グループ化する
　　・関係づける

　「グループ化」と「関係づけ」のテクニックは第3章で解説します。ここでは主に強調や分離のための記号や枠の描き方に焦点を当てます。

記号や枠に凝ってみよう

　記号や枠にはいろいろなバリエーションがあります。適切に使えば、ファシリテーション・グラフィックがより一層分かりやすくなり、にぎわい感も増してきます。

□行頭記号

　行頭記号は箇条書きの頭に打って文を目立たせ、「この文とあの文は別物だ」という、分離を明確にする働きを持っています。

　「・」や「−」をよく使いますが、そればかりではありません。中空の「○」や「□」にしたり、その「□」の中に色を塗ってみたり、いろいろ表情が変えられます。これらを使い分けて、大項目／小項目など、レベル（抽象度）の違いを表現することもできます。数字（ナンバリング）も行頭記号の一つであり、数字の描き方で変化がつけられます。

図 2-31 │ 行頭記号にもバリエーションがある

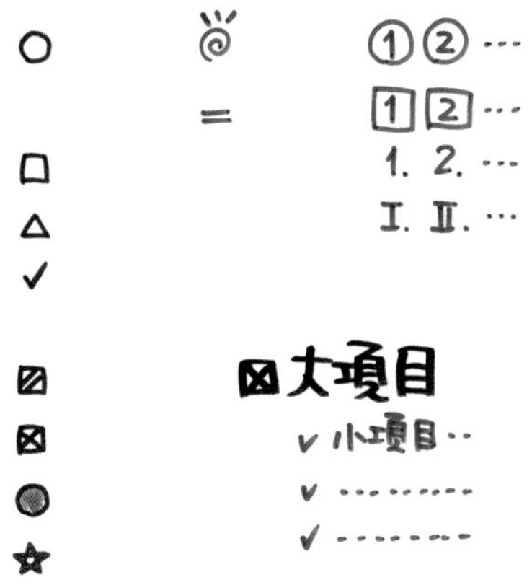

□アンダーライン

　アンダーラインはポイントを強調する働きがあります。直線や波線をはじめ二重線や網掛け線などさまざまな種類があります。

　網掛け線を描くには、書いた文字の上から、黄、オレンジ、ピンク、水色などの薄い色を文字に一部重ねるように塗ります。はじめの文字が乾いた頃合いにやれば、滲みません。一旦書いた上に他の色を塗るという動作は少し勇気が要りますが、勢いよく描くのがコツです。

図 2-32 │ いろいろなアンダーライン

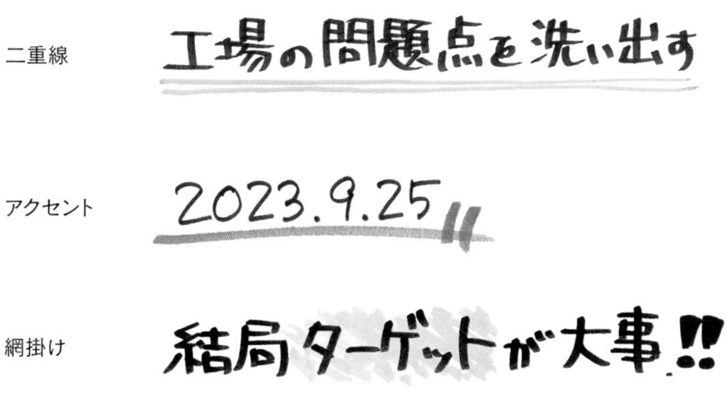

二重線	工場の問題点を洗い出す
アクセント	2023.9.25
網掛け	結局ターゲットが大事!!

□囲み図形／吹き出し／影付け

　囲み図形や吹き出しは、タイトルを目立たせる、意見をグループ化する、補足説明を付け加える、といった働きをします。多くのバリエーションがあるので、気に入ったものをどんどん使ってレパートリーを増やしましょう。パソコンソフトの図形描画機能（例：WordやExcelのオートシェイプ）の中にも参考になるものがたくさんあります。影付けを併用すると、紙面に立体感がでて、さらに目立ちます。

図 2-33 ｜ 多彩な表現ができる

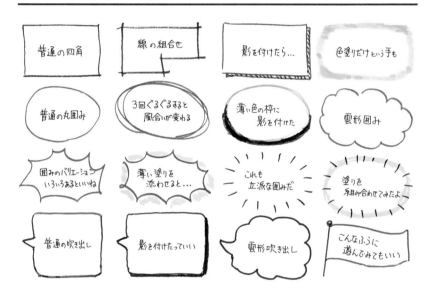

□線／矢印

　線や矢印は、**関係づけ**をしたり、順序を示したりするために欠かせない部品です。これにもさまざまなバリエーションがあり、用途に応じて使い分けます。同じ矢印でも、普通に線を引く／クルッと輪を描く／中抜きで描く…で表情がずいぶん変わります。矢印の使い分けについては、関係づけ（108ページ）のところで述べますので、そちらを参考にしてください。

絵でイメージを膨らませる

絵が場を華やかにする

　文字、記号に加えて、3番目に重要なファシリテーション・グラフィックの要素は絵（イラスト、アイコン）です。そう聞いて「真面目な会議に絵!?」と思われる方が少なくないと思い、絵の効用を説明しておきます。

　1つ目に、文字より絵のほうがイメージを直感的に伝えることができます。たとえば、「懇親会」と文字で書くより、生ビールのジョッキの絵を描いたほうが、懇親会の楽しい雰囲気を瞬時に想起させることができます。

　あるいは、イベント会場の座席のレイアウトを議論していたとしましょう。スクール形式で皆が前を向いて座る配置と、丸テーブルを置いてグループを構成する配置とを比較するには、絵で描いたほうが伝わりやすくなります。

　2つ目に、感情や場のムードといった言葉で表しにくい微妙なニュアンスが表現できる点があります。たとえば、「進捗率85%」という言葉の横にこぶしを振り上げて笑っている人の絵を描けば、この数字に満足していることが分かります。逆に暗い表情で肩を落としている人の絵を描けば、落胆していることが分かります。特に、後述するグラフィック・レコーディングにおいては重要なテクニックとなります。

　3つ目に、文字や記号ばかりの紙面に絵を加えると、その部分に皆の視線が集まります。重要なキーワードの近くに絵を描けば、皆の注意を引きつけることができます。さらに、絵が発想を膨らませる起爆剤ともなります。皆でアイデアを出すときには、とても重要になってきます。ぜひ絵も加えて、話し合いの場そのものを華やいだものにしましょう。

どうしたら描けるようになるのか

　そう言われても、絵を描くのは苦手という人や、どんな絵を描いたらよいのか分からないという人が多いと思います。何もプロのような精巧な絵を求めているわけではありません。誰もがすぐに描けそうなものを紹介しますの

099

図 2-34 │ 絵があると華やかになる

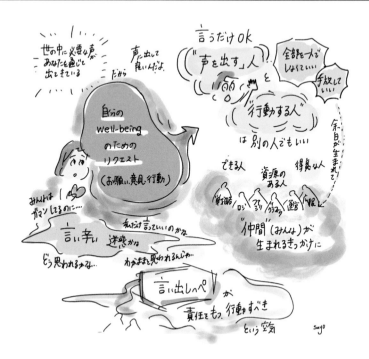

で、とにかく一度真似をして描いてみてください。この程度なら、やってみ
ると意外にそれらしく描けるものです。

その上で、「これは私の普段の話し合いでも使えそうだ！」と気に入ったイラ
ストがあったら、何度も練習してみてください。ポイントは、丁寧に描くこ
とではなく、速く描くことです。イメージが伝われば十分ですので。

ファシリテーション・グラフィックを描いている最中に、どんな絵を描こ
うかと考えている時間はありません。細部を描き込んでいる暇もありません。
使えそうな絵を頭の中にストックしておいて、これを使おうと決めたらスラ
スラと手が勝手に動くようになる。それが理想です。

さらに絵のレパートリーを増やしたい人は、雑誌や漫画から学ぶのがよい
方法です。スマホの絵文字も大いに参考になります。自分の使えそうな絵が
ないか、常にアンテナを張っておくようにしましょう。

図 2-35 ｜ アイコンでイメージを表現する

図 2-36 │ 顔で感情を表現する

第3章

技術編②

3

集めた意見を整理する

議論を
構造化する

▰分かりやすく整理する

単なる羅列では議論の全体像が見えにくい

　「部門間のコミュニケーションをよりよくするにはどうするか？」という論点で、皆で解決策をアイデア出ししたとしましょう。幸いあなたのファシリテーションがうまくいって、多くの意見が挙がってきました。この段階では、図3-1左のように、皆の意見が描かれている状態になっていることでしょう。

　しかし、このままでは、どのような種類のアイデアが出てきているのかといった全体像も、検討を深めるべき点がどこなのかもつかみにくいです。

　これを図3-1右のように整理すれば、見違えるように見通しがよくなり、いろいろなことに気づかされます。

　・だいたい3種類のアイデアが出てきている
　・「業務以外の交流を増やす」に該当するアイデアをもう少し出してみてもよさそう
　・「業務上の情報ルートを風通しよくする」という着眼点が抜けている

　せっかく出てきた意見も、羅列しておいたままではそこから先の議論に役立てにくく、もったいないです。整理して、全体像を見やすくするようにしましょう。

図 3-1 ｜ 整理して全体像をつかみやすくする

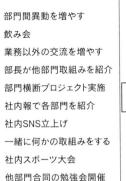
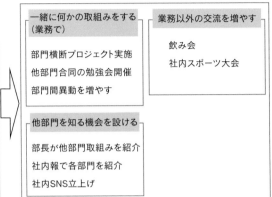

議論の構造を解きほぐす

　議論の整理とは、議論の構造を明確にすることです。構造とは、「議論が一体どんな要素から成り立っているのか？」「それぞれの要素がどのように関係しているのか？」を指します。建物の話で言えば、建物がどのような部分・部材から造られているのかが要素で、それぞれがどのように組み合わせられているかが関係、ということになります。

　先ほどの例では、

　・大きく３つの塊（要素）に分けられる

　・この大きい３つの塊は互いに並列という関係にある

　・３つの塊それぞれの中に、小さな個別要素が入っていて、それらは抽象
　　と具体という関係にある

という構造を明らかにしました。

　この作業を議論の構造化と呼びます。それを頭の中だけでやるのは難しく（頭のよい人は別ですが）、ここでこそファシリテーション・グラフィックが力を発揮するのです。

図解なら一目瞭然

　構造を表すのに便利なのが図解です。実際私たちは、図を使って常日頃から構造化をしています。

　たとえば、３つの円が交わらずに並んでいたら、互いにダブらない３つの要素が並列関係にあることが分かります。あるいは、２つ四角が並んでいて、左から右に向けて矢印が引かれていれば、左の要素と右の要素がそれぞれ原因と結果になっている（因果関係にある）ことを理解します。

　つまり、構造化というまったく未知のスキルに挑むのではなく、日頃やっている図解をキャンバス上に表現するだけです。そう考えて、少し気楽にファシリテーション・グラフィックをしてみてください。

要素の関係にはどのようなものがあるか?

　図解というと、すべての意見を四角い枠で囲み、やたら矢印でつなぎまくる人がいます。線が増えて非常に見にくくなり、その上、矢印の意味が不明なのでは、見せられた側はかえって混乱するでしょう。

　まずやらなければならないのは、今、議論の中にどのような「関係」が現れているのか見定めることです。この問題を引き起こしているのはこれだ、という話ならば因果関係です。これとこれが相いれない、という状況ならば対立です。これって３つの変化の方向性があるよね、ならば分岐です。

　右に挙げるように、よく登場する要素の間の関係は、それほど多くの種類があるわけではありません。これらの関係の種類を頭に入れておいて、今の話の展開はどの関係に該当するのだろうかと意識的に探れば、たいてい正確に突き止められるはずです。

　そこに現れている関係を特定して、その後に、線／矢印／枠を使って図解に取りかかります。表現したい関係に応じて表現の作法があり、それに従うことで皆に共通の理解をしてもらうことができます。

図 3-2 ｜ 関係を図解で表現する

関係	表現の作法	
関連	何らかの関係があることをほのめかしたい要素同士を線／点線でつなぐ	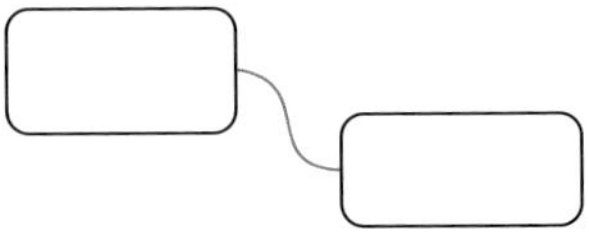
並列	同格に並んでいる複数の要素を、どれも等しく見えるように並べる	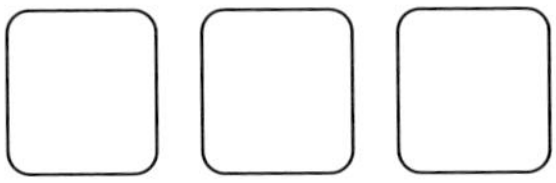
対立 対比	対立している／対比させたい要素を同格に配置し、両矢印を間に置く	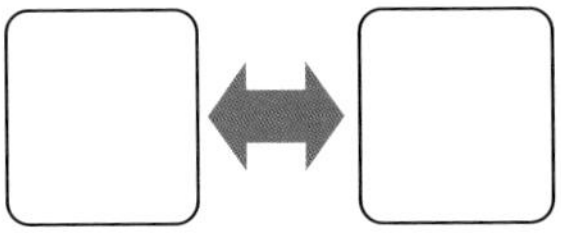
順序・連鎖 因果 根拠と結論 影響	物事の順序、原因から結果、根拠から結論、影響を及ぼす要素から及ぼされる要素への力関係、の方向に片矢印を置く	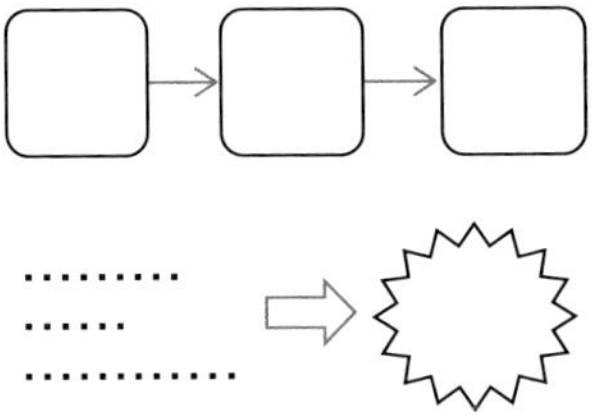
循環・双方向	循環する因果要素や、双方向に影響を及ぼし合う要素の間に、片矢印2本を置く	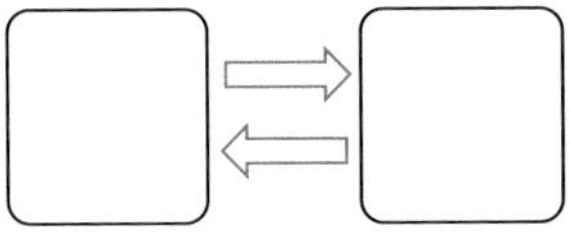
分岐・集約	ひとつの要素から複数の要素へ、複数の片矢印を置く（集約はこの逆）	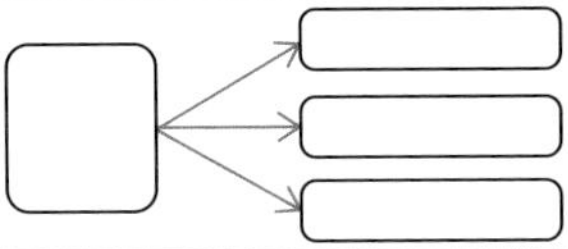
上部／下部 抽象／具体	上部概念・抽象概念の下に下部概念・具体事例を、少し控えめに配置する	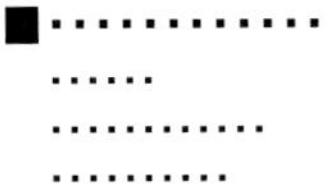

第3章　技術編②

1　議論を構造化する

107

矢印の働きを理解する

　線／矢印／枠の中でも特に活躍するのが矢印です。要素と要素の関係づけに欠かせないツールです。

　一口に矢印といってもいろんな使い方があり、多彩な関係を矢印一つで表現できます。簡単なようでなかなか侮れない、奥の深いツールです。

　ファシリテーション・グラフィックでは次の3つを表現するために矢印を使います。

1）プロセスを表現する

　もっとも一般的な矢印の使い方で、因果関係、連続性、時間経過、影響、収束などプロセス（過程）を表現するのに矢印は重宝します。

2）位置づけを表現する

　複数の要素がどういう関係にあるのか、対比、等価、並立、対立、分岐など互いの位置づけを表現するために使います。

3）要素に注目させる

　矢印は視線を誘導する効果があり、矢印をうまく使えば要素に注目を集めることができます。

自由自在に矢印を使いこなす

　矢印を使いこなすには次のルールを意識します。これらのルールは慣習的に、多くの人に共通認識として持たれているものです。

1）線の種類

　まず線の種類（実線・破線）を選びます。通常は実線で矢印を書き表しますが、弱い関係や推定（仮定）を表現するときは破線を使います。因果関係を表す際に、時間の遅れを表現するときも破線を使うと便利です。

2）太さ・色

　矢印の太さは、一般的に関係の強度を表します。弱い関係は細い矢印を、強い関係は太い矢印を使います。さらに強い関係を示したいときには、ブロック矢印（線ではなく図形化した矢印）を使います。矢印の先端の形、矢印の色、網掛けなどを使い分けることでも、意味合いの違いが表現できます。

3）矢印の向き

　矢印の向きは関係の種類を表し、片方向の矢印と双方向の矢印の２種類を使い分けます。中でもプロセスを表現するときは矢印の向きが大切で、間違えると全然違う意味になってしまいます。過程（時間の流れ）に沿って矢印をつけるのは言うまでもなく、それにより流れが表現できます。

4）矢印の意味

　これらのルールは慣習的なものだけに、人によっては矢印の意味が分かりづらい場合があります。そういうときのために、矢印のそばに「なぜなら（理由）」「よって（結論）」「いずれ（10年後に）」といった関係を示す言葉を書き添えると分かりやすくなります。ブロック矢印を使うときは図形の中にコメントを書き入れるとよいでしょう。

図 3-3 ｜ さまざまな矢印を使いこなす

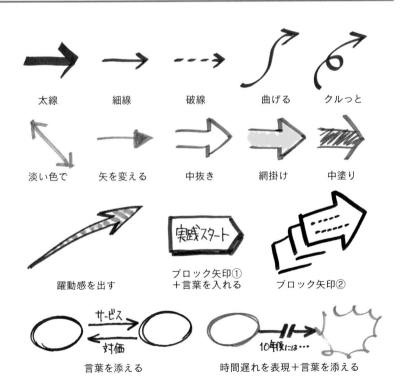

109

グループ化して整理する

グループ化の2つのアプローチ

グループ化の能力が欠かせない

　構造化の際には、類似する項目をまとめる——言い換えれば、同類の意見同士を寄せて塊をつくる——グループ化／分類が必ず要ります。グループ化によって、議論の中にどのような要素があるのかが浮かび上がってくるのです。

　ところが、このグループ化が簡単ではありません。その証拠に、どう考えても類似しているとは思えない項目をひとつの塊にして平気な人もいます。どうグループ化してよいか分からず、思考停止に陥ってしまう人もいます。

　ここでは、グループ化するときにどのように頭を使うのか、それをキャンバスの上にどう表現するとよいのか、を解説していきましょう。

2つのやり方を使い分ける

　グループ化には大きく、「枝から幹へ」(帰納的)と「幹から枝へ」(演繹的)の2つのやり方があります。

1）枝から幹へ（帰納的なグループ化）

　似たような内容を束ねて小さなグループをつくり、小グループ同士を束ねて中グループをつくりといったやり方で、最後は大グループへとまとめてい

く方法です。ボトムアップ的な思考方法といってもよいでしょう。付箋にアイデアを書き出して構造化する親和図法はこの原理を応用したものです。

　帰納的なやり方は、特別なスキルも要らず誰もができる方法で、参加者全員の協働作業で行うこともできます。一方、演繹的なやり方よりも時間がかかり、小さいところから積み上げるだけに、全体のバランスが悪くなったり、大きなモレが発生したりする恐れがあります。

２）幹から枝へ（演繹的なグループ化）

　何らかの切り口で思い切って全体を２〜４個の大グループに割り、さらに中グループ、小グループへと割っていって分類する方法です。トップダウン的な思考方法といえます。

　うまい切り口が見つかれば、出来栄えも美しく短時間でグループ化ができます。反面、頭の回転の速い人しか切り口が見つけられず、グループ化の作業についてこられなくなる人が出る恐れがあります。また最初の切り口を間違えると、最後に破綻してしまい、慣れない人がやるとうまくいきません。

　このように２つの方法は一長一短があり、どちらか一方が優れているというわけではありません。人間にはミクロからマクロを考える帰納的な思考が

図 3-4 ｜帰納的なやり方と演繹的なやり方

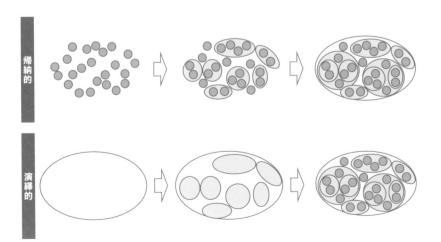

帰納的

演繹的

得意な人と、マクロからミクロを考える演繹的な思考が得意な人がいます。これは思考の癖のようなものであり、最終的には自分にあったやり方でやるしかありません。

　ただ、どちらの方法でやっても、最後にもうひとつの方法で検証することが、うまくグループ化する秘訣です。たとえば、小グループから始めたなら、バランスのよい大グループができているかをマクロからチェックしていく。逆に大グループから始めたなら、小グループが無理なくそろっているかをミクロからチェックする。こうすれば、両者のメリットを活かした、理想的なグループ化ができるでしょう。

フレームワークを活用する

　どちらのアプローチをとっても、どんな切り口で項目を束ねる(割る)のか、切り口の選び方に悩みます。そういうときのために、世間でよくある切り口をできるだけたくさん頭の中に入れておくとよいでしょう。これをフレームワークと呼びます。

　たとえば、「私たちの組織の特徴」に関する意見を、大きく「強み」と「弱み」にグループ化する。あるいは内容に着目して、「ヒト」「モノ」「カネ」「情報」にグループ化する…といった具合です。

　フレームワークは、情報を整理する上での定石のようなものです。数多く知っていればいるほど、幅広い視点で構造化できます。議論が混迷を極めるときには、「こういうフレームワークに沿って議論してみませんか?」と持ち出すこともできます。基本的なものは一通り頭に入れておき、チームが効率的に議論できるようサポートしていきたいものです。

　ただ、定石と呼ばれるものは何でもそうですが、フレームワークさえ知っておけば必ずうまくいくというものではありません。頼りすぎると、ファシリテーション・グラフィックも議論そのものも、形だけをなぞった表面的なパターンに陥ってしまいます。フレームワークを意識しながらも、いろんな切り口をトライ&エラーしながら、議論にもっともふさわしい使い方を探すようにしてください。

図 3-5 ｜ フレームワークを使いこなそう

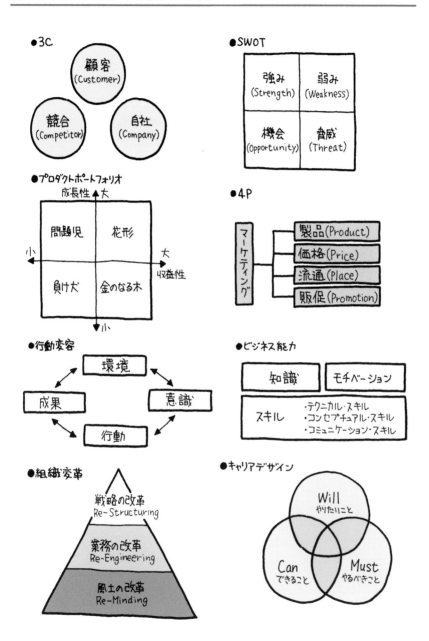

●3C

顧客 (Customer)
競合 (Competitor)
自社 (Company)

●SWOT

強み (Strength)	弱み (Weakness)
機会 (Opportunity)	脅威 (Threat)

●プロダクトポートフォリオ

成長性 大
小 ─ 大 収益性
小

問題児　花形
負け犬　金のなる木

●4P

マーケティング
製品 (Product)
価格 (Price)
流通 (Place)
販促 (Promotion)

●行動変容

環境　意識　行動　成果

●ビジネス能力

知識　モチベーション
スキル　・テクニカル・スキル　・コンセプチュアル・スキル　・コミュニケーション・スキル

●組織変革

戦略の改革 Re-Structuring
業務の改革 Re-Engineering
風土の改革 Re-Minding

●キャリアデザイン

Will やりたいこと
Can できること
Must やるべきこと

第3章　技術編②
2　グループ化して整理する

113

グループ化のときには頭をこう使う

適切にグループ化できているとは?

「我社の会議でどのような問題点があるか?」を議論して、出てきた意見を帰納法でグループ化しました(図3-6)。見るべきポイントが3つあります。

1)一つひとつの塊には特有の共通点がある

この例で言えば、左上の塊には、細かい意見が5つありますが、どれも「論点を押さえた話し合いができない」という意味では共通と考えられます。同時に、他の塊は「『論点を押さえた話し合いができない』という意味ではない」わけです。そして共通点がグループの名前として表現されています。

2)グループ名が個々の意見の要約になっている

事例の左下の塊では、「会議室が無い」「出席者の日程調整困難」「全員多忙日

図3-6 │ 適切にグループ化された状態

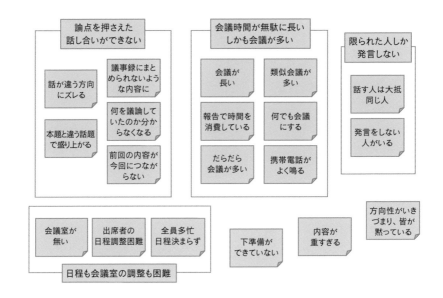

114

程決まらず」が、より広い意味合いの「日程も会議室の調整も困難」の中に含まれています。

３）グループ名がだいたい同じ程度の抽象的な言葉になっている

　グループ名を「論点を押さえた話し合いができない」「携帯電話がよく鳴る」「限られた人しか発言しない」としてしまうと、２つめの塊が小さすぎて（個別具体的すぎて）違和感を覚えます。いわゆる「粒度（抽象度）がそろっている」状態になっておらず、そろえたほうが落ち着きがよくなります。

「要するに?」で抽象化して共通点を探る

　このようなグループ化に欠かせないのが「要するに?」です。「要するに?」を考えて、それが共通する意見をまとめてグループをつくるのです。

　分かりやすいのは、まず「要するにどういうカテゴリーに属するのだろう?」と考える方法です。たとえば、みんなでキャンプに行くというので、持ち物をリストアップしているとしましょう。「キャベツ」が出てきたら「食料かな?」と考え、「包丁」が出てきたら「食料ではないね。調理具だな」と考える。そして、そのカテゴリーごとに意見をグループ化していきます。

　そこからさらに、「これは要するにどういう意味合いを持っているのだろう?」と頭を使います。より抽象的な広い意味合いを探るのです。

　たとえば、「発想を広げるにはどうするか?」という論点でアイデアを出しているとしましょう。「社外の人と飲みに行く」と「他部門の人と話し合う」が出てきたら、「どちらも要するに『違う視点の人と意見を交わす』という意味では同じだな」というふうに考えるのです。

　もうひとつの頭の使い方は、「これは結局何が目的なのだろう?」「これで結局どうなるのだろう?」というように、上位目的や達成像（帰結）を考えるやり方です。たとえば、「『社外の人と飲みに行く』とどうなるの?『自分とは違う世界の人の発想が得られる』ってことかな?」と考えれば、抽象化できます。

無理矢理グループに放り込まない

　図3-6を見ても分かるように、出てきた意見をすべてどこかのグループに入れなくてはならないわけではありません。意味合いが同じではないのに

無理矢理どこかの塊に押し込めてしまったが最後、その意見の持っていた独特の意味合いがキャンバスから、そして皆の意識から消えてしまいます。

　ひとつだけポツンと孤立している意見があってもまったく問題ありません。共通点のある意見が他に無いのであれば、自信をもって放置しておけばよいと考えてください。

的確なタイトルをつける

　グループ化の良し悪しは、最後はタイトルづけ（グループ名づけ）で決まります。それぞれのグループの内容を代表する言葉を見出しにつけることで、全体像が把握しやすくなります。

　グループ化する際に、そのグループの共通点を表現できている言葉が見つかっていれば、それをそのままタイトルにすればよいです。見つかっていなければ、塊にした意見を眺めながら、「この意見の共通の意味合いは何？」「この意見を要約するとどんな言葉になる？」と問いかけて、タイトルを考えます。

　スッキリとしたフレーズにならなくても、無理にかっこいい言葉に落とし込む必要はありません。簡潔にしすぎたり、ありきたりの言葉でまとめたりしてしまうと、元々の意見が持っていた意味を殺してしまいます。

　特にフレームワークを使って整理したときは要注意です。切り口の言葉をそのままタイトルにしてしまうと、イメージがわきにくくなります。グループ内にある意見をすべて消しても意味が通るくらいのタイトルを考えるのが腕の見せどころです。

心に響く見出しのつけ方

　たとえば、「遅刻者が多い」「些細なミスが増えている」「覇気がない」という意見をひとつのグループにしたときに、単に「ヒトの問題」とタイトルをつけたのでは何を言っているのかよく分かりません。

　多少長くなっても、そのグループに当てはまる意見の意味合いを損なわない、フレーズ感のある名前をつけましょう。数文字の熟語でピタッと決めようと思わないことです。

今の例で言えば、「規範意識とやる気の低下」くらいにすると元の内容が活きてきます。「最近ちょっとたるんでいる？」と話し言葉でまとめる手もあります。

　比喩を使うのも一つの方法です。「計画の問題」「実行の問題」「意識の問題」とタイトルづけするよりも、「ブレインが足りない」「マッスルが足りない」「ハートが足りない」とまとめたほうが、はるかにイメージがわきます。

　このように、一連のタイトルをリズムのあるものにすると、全体が分かりやすくなります。本や新聞の見出しのつけ方を参考に、自分なりに工夫をしてみてください。

　最後に、タイトルを表現するフレーズを考えるときには、「論点に答える」ことを意識しましょう。

　同じ意見の塊でも、論点が「我社の会議でどのような問題点があるか？」なら「限られた人しか発言しない」というフレーズが適しています。一方で、もし論点が「我社の会議をより良くするには？」なら「皆が公平に発言できるようにする」という言葉遣いが適しています。

図3-7 ｜ **的確でキャッチーなタイトルをつける**

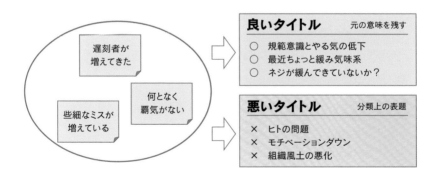

グループ化における描き方の工夫

リアルタイムにグループ化する

　ファシリテーション・グラフィックでは、書いた意見を消して動かすのに手間がかかります（付箋を使ったときだけは別です）。出てきた順に意見を書き連ねてしまっていると、「あの意見とこの意見を一緒のグループにしたいのに、ずいぶん離れたところに書いてしまっている…」「この意見、全然違う意見なのに、かたまって書かれてしまっていて邪魔だなあ…」といった状況になり、手早くグループ化できません。

　グラフィックに慣れてきたら、意見を書きながら、リアルタイムにグループ化することにチャレンジしてみてください。つまり「似た意見を近寄せて描く」ことです。

　ただし、似た意見を近寄せて描くには、その意見が出てきたときに近寄せて描けるだけのスペースがあることが大前提です。意見Aとそれとは全然違う意見Bがくっつけて描かれてしまっていたのでは、Aと似た意見Cが出てきてもAの近くに置くことができません。

違う意見を勇気をもって離して配置する

　となると、大事なのは「違う種類の意見は離して配置する」ことです。

　多くの人は、似た意見を近寄せて描くことはしても、違う意見を離して描けず、中途半端に近い位置に置いてしまいます。そのせいで、意見のグループ化にやりにくさを感じてしまうことになるのです。とにかく、出てきた意見を、何も疑問を感じずに出てきた順に記録する癖をやめてみましょう。

　とはいっても、意見を離して配置するのは思い切りが要ります。AとBをスペースを空けて描いても、その後の話し合いで、Aと似た意見が出てこず、せっかく設けたスペースが無駄になってしまうかもしれません。

　しかし、それは結果論です。無駄を恐れて意見同士を近寄せて描いている間は、リアルタイムにグループ化できるようにはなりません。違う意見は

「勇気をもって」思い切って離して配置しましょう。ちなみに、どこに配置するかは、直感で決めることが多いです。実践を積み重ねるにつれ、自然とそれらしい位置に描けるようになっていくものです。

抽象と具体を表現する

　意見・項目の塊をつくることができたら、描き方にも工夫をこらして、どれが抽象でどれが具体か、分かりやすくしましょう。

1）行頭記号や囲み

　抽象項目と具体項目で行頭記号を変えます。抽象には「◆」、具体には「・」などとコントラストをつけるとよいです。また、抽象項目、特にグループ名は、枠で囲って際立たせることも多いです。

2）インデント

　抽象項目の行頭より具体項目の行頭を少し下げます。いわゆる字下げです。

3）字の大きさや色

　抽象項目の字を若干大きめ（言い換えれば、具体項目の字を若干小さめ）にします。また、抽象⇔具体で字の色を変えてもよいでしょう。

図 3-8 ｜ 抽象と具体の表現方法あれこれ

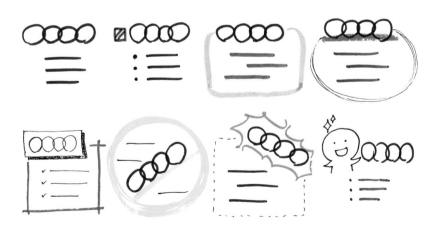

4）傾きや字間

　具体項目を水平に、字間を詰めてコンパクトに描いたら、抽象項目は斜めに描いたり、少し字間を空けてわざとポップに描いたりするテクニックです。逆に、抽象項目と具体項目を、何の区別もつけずに同列に並べるのは極力避けるようにしましょう。

なにはともあれ枠囲み

　グループ化をするときは、抽象と具体を区別して描くことのほかに、何がひとくくりの塊なのかが、一目で認識できるような描き方の工夫が重要です。

　一番簡単なのが枠で囲むことです。丁寧に枠線を描くのが億劫なら、文字にかかってもよいので、枠を勢いよく描いてみてください。たとえ走り描きでも、枠があると境界線が明確になって、見やすくなります。

　枠は、黒、紫、青、赤といった鮮烈な色で描くと境界が際立ちます。一方、枠が目立ちすぎてうるさければ、水色やオレンジなどの中間色で描いたり、淡いパステル調のマーカーで塊の周りを色づけしたりしてみてください。

　あるグループにこの意見も入れたい、でもその意見は近くに描いてない。そんな場合には、グループの塊と遠くに置いてある意見との間を（矢印ではなく）単なる線で結び、つながりがあることを表現します。

罫線でブロックを引き締める

　グループ化とは少し意味合いが違いますが、いくつかの異なった話題をキャンバスに描くときにも、境界に線を引いておくと見やすくなります。内容のブロック化です。話題が大きく変わったときに、線（罫線）を引いてから次の見出しを書くのです。

　そうすることで、話題の転換が明確に表現でき、記録内容の構造が明らかになります。見た目にも分かりやすくなり、レイアウト全体を引き締める効果もあります。

　このときにも気をつけてほしいのは、目立ちすぎる罫線を引かないことです。罫線の印象が強すぎると、そちらにばかり目がひきつけられ、内容に注目がいかなくなってしまいます。あまり目立たない色で、薄く、細く書いた

ほうが、本文を引き立たせる効果が高くなります。

　小さな話題転換では目立たない色で細い罫線を、大きな話題転換では目立つ色で太い罫線を。さらに大きな話題転換ではページそのものをあらたにするといった、使い分けをしてみましょう。

図3-9 ｜ 枠囲みでひとくくりにする

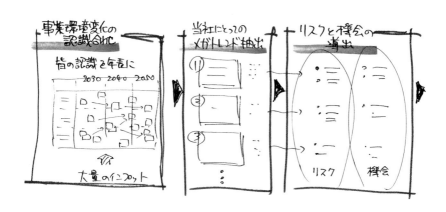

図3-10 ｜ 話題の転換を罫線で表す

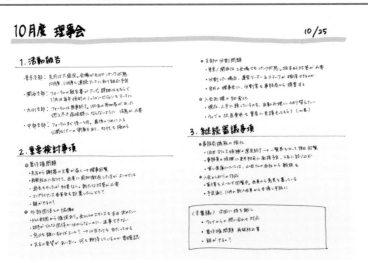

121

フレームワークを
駆使する

階層的に意見を整理する

　ファシリテーションの上達方法についてアイデア出しをやり、たくさんの意見が出たとしましょう。「研修を受ける」といった大きな話から「いつも付箋を持ち歩く」といった瑣末なアイデアまで、さまざまなレベルの意見が混じり、このままではアイデアの全体像がつかめません。そういうときに重宝するのが**ツリー型**です。

　たとえば、アイデアを大きく「知識を身につける」「トレーニングを受ける」「実践から学ぶ」の３つに分けます。さらに「知識を身につける」を経営学、社会学、心理学の学問別に分けていきます。この作業を繰り返していけば、どんなにアイデアがたくさんあっても、綺麗に構造化できます。

　このように大分類（幹）から小分類（枝）へと整理していくのは、世の中ではもっともポピュラーなやり方です。どんなものでもスッキリと整理でき、階層構造が一目で分かるのが最大の特長です。

　必ずしもツリー（ピラミッド）型に書く必要はなく、本の目次のように番号や字下げ（インデント）を使って、項目ごとに箇条書きにしたもので十分です（アウトラインと呼びます）。たくさんの項目を目にしたときは、似たような項目を一塊にしつつ階層ごとに並べて、まずはツリー型で整理できないかト

ライしてみるとよいでしょう。

議論のレベルをあわせる

　ツリー型を使えば、混乱した議論を仕分けするのにも大いに役に立ちます。
　たとえば、会議では一度に一つのことしか議論できないのに、全然違った
論点を持ち込む人が出てきます。幹の話をしているときに、枝葉の話に踏み
込んだり、ミクロな話をつめているときに、マクロな話を持ち出したり。
　こういったレベルのズレは、言葉で説明してもなかなか分かってもらえま
せん。そういうときには、ツリー図を示して、今はどのレベルの議論をして
いるのか、視覚的に分からせるとよいでしょう。
　また、議論のレベルは合っていても、違うポジションの話をしているとい
うケースもあります。たとえば、ファシリテーションの上達方法を議論して
いて、Aさんは心理学を学ぶのが一番だと言い、Bさんはコーチングが有効

図 3-11 ｜ ツリー型のチャートで議論を整理する

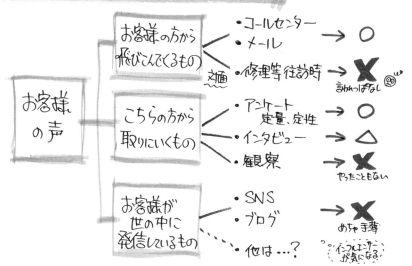

だと主張する——。一見議論がかみ合っているようですが、大元をたどれば知識かスキルかという対立になり、そこを議論しなければ決着がつきません。

こういうときにも、それぞれの主張がどのポジションにあるかをツリー図で示すと、本質的な議論（つまり上位の階層での議論）に戻すことができます。

３つを意識してMECEにまとめる

ツリー型をうまくまとめるコツは、以下の３つのルールを守ることです（バーバラ・ミント『新版　考える技術・書く技術』ダイヤモンド社）。

＜ミントのピラミッド原則＞

①上位の項目は下位の項目を要約したものである

②同じ階層の項目は常に同じ種類のものである

③同じ階層の項目は論理的に順序づけられている

これらのルールを守って、「モレなくダブリなく」（英語の頭文字をとってミッシーと呼びます：MECE　Mutually Exclusive, Collectively Exhaustive）まとめると役立つツリーになります。

項目は３つくらいでまとめるのがバランスよく、少ない場合は他の項目が隠れていないか、多すぎる場合はもう一段増やせないかを考えます。そうやって、３つを意識すると見やすいツリー図ができあがります。

図 3-12 | モレなくダブリなくまとめる

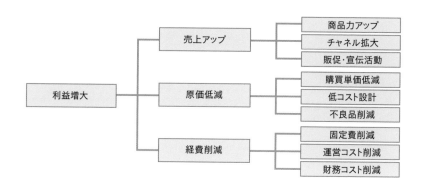

図 3-13 | 代表的なツリー型のチャート

●ロジックツリー

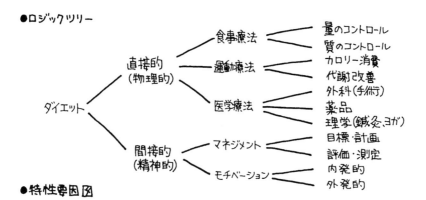

●特性要因図

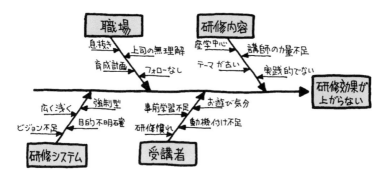

●マインドマップ

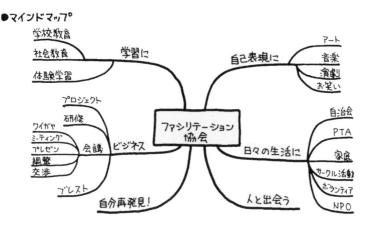

▬ 重なりが新たな発想を生むサークル型

円の重なり具合で関係を表す

　今度は「ファシリテーターにとって重要な資質は？」というやや抽象的なテーマでアイデア出しをやり、やはりたくさんの意見が出てきたとしましょう。大きく分けると、知識に関するもの（ナレッジ）、技術に関するもの（スキル）、態度に関するもの（マインド）の３つに分かれそうです。

　ところが、「参加者に主体性を与える」という意見は、一見態度に関するもののように見えますが、ワークショップのプログラムやメンバーへの問いかけの仕方など、技術的な部分も少なくありません。どうやらこれは、スキルとマインドの両方に関わる意見のようです。

図 3-14 ｜ サークル型なら重なりが表現できる

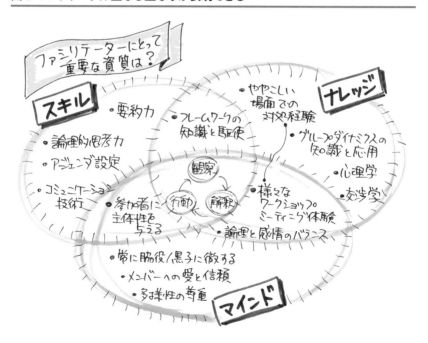

126

このように、アイデアや意見は、単純に区分けしにくい場合が少なくありません。こういう場合は、ツリー型では構造化しにくく、サークル型を使うとスッキリと整理できます。数学でならった集合図（ベン図）のように、似たような項目を円の中にひとくくりにして、円の重なり具合で関係を表現するのです。

新しい組み合わせからユニークなアイデアを

サークル型では円の重なり具合で項目同士の関係を表します。円がまったく重ならなければ「独立」、重なっている場合は「交差」、大きい円の中に小さい円が含まれる場合は「包含」となります。

サークル型は、議論を整理するだけではなく、アイデアを広げるときにも使えます。サークル型で議論をまとめていくと、意見が集中している部分や、まったく意見が出ていない部分がよく分かります。議論が偏って、網羅的にアイデアが出ていないのかもしれません。空白部分を埋めるように促せば、議論に広がりが出てきます。

また、いくつかの円を重ねることで、思ってもみなかった組み合わせが見つかる場合もあります。そういった可能性をつぶさに検討していけば、ユニークなアイデアが生まれるかもしれません。切り口の組み合わせでアイデアを強制的に生み出すツールとしても使えるのです。

図 3-15 ｜ 重なり具合で関係を表す

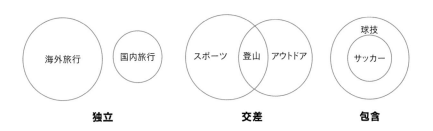

図 3-16 ｜代表的なサークル型のチャート

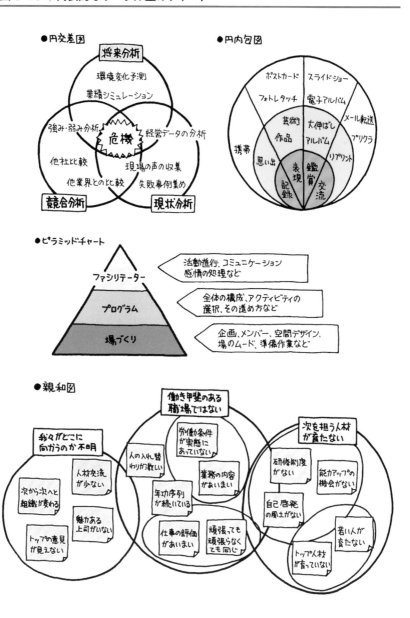

128

流れやつながりを整理するフロー型

矢印でつないで関係を表す

　何か物事がうまくいかない原因を見極めようと議論をしているうちに、さまざまな要因が見つかってきました。ここから、本質的な原因を見つけ出したいのですが、何かよい手はないでしょうか。

　ある事柄が起こるには、どこかに原因があり、その原因が起こるには、また違う原因があります。物事は原因と結果が連鎖的につながって起きており、それが事態を複雑にします。また、一つの現象に対して複数の原因がある場合もあり、原因と結果が循環構造になっているときもあります。こうなっては、とてもツリー型やサークル型では手に負えません。

　こういう場合に便利なのが、流れを表すフロー型です。フローチャートがその代表選手です。この例で言えば、原因と結果の関係を順に矢印で結んでいくと、因果の構造がつかみやすくなります。このときに、矢印の色や太さで、主な原因と副次的な原因とを分けると、さらによいでしょう。

図 3-17 ｜ フロー型のチャートならつながりが分かる

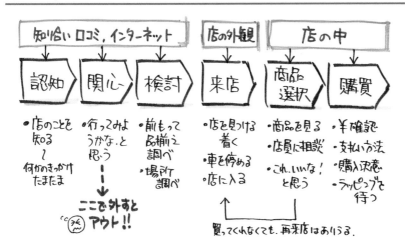

流れが変わると世界が変わる

物事の過程（プロセス）を表すのにフロー型は便利です。業務改革のポイントの発見や、改革のアクションプランづくりなどは、フロー図を描きながら議論をすると全体像がつかみやすくなります。図3-17の例で言えば、お客さんの認知から購買まで、購買に至る一連の流れをフロー型で表現し、そのどこに問題があるのかを議論するのに便利です。

さらに、フロー型もアイデア発想に使えます。まず出てきたアイデアを、因果関係や相関性を元に、矢印で関係づけていきます。いわゆる連関図と呼ばれるやり方で、これだけでもアイデアの全体像が分かりやすくなります。

さらに矢印の向きをひっくり返したり、まったく関係のなさそうなアイデア同士を矢印で結んだりして、アイデアを強制的に組み合わせてみましょう。たった一本の矢印から、普段は考えつかないようなアイデアが生まれたり、奇妙な組み合わせに場が盛り上がったりします。議論が煮詰まってきたときなど、試してみるとよいでしょう。

フロー型を描くときのルール

最後にフロー型を描くときの注意点を一つ述べておきます。フローを描くには慣習的なルール（原則）があるということです。「左から右へ、上から下へ」流れるのが順方向と覚えておいてください。好き勝手にやってしまうと、メンバーの頭の中を混乱させてしまいかねません。原則を破る場合は、そうすることに意味があるときだけに限るようにしましょう。

図 3-18 ｜ フローを描く原則を守る

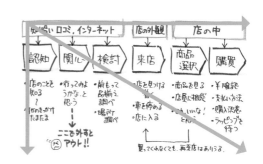

130

図 3-19 │ 代表的なフロー型のチャート

●プロセスマップ

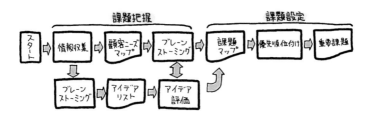

●システム図

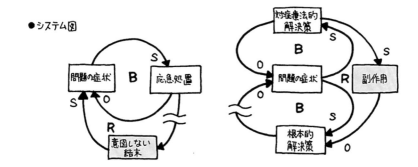

●連関図

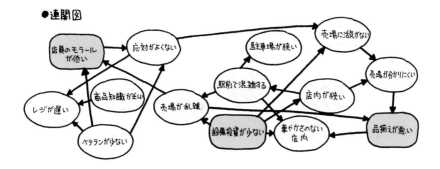

131

切れ味が鋭い戦略的な図解

4つの基本パターンの最後は、マトリクス型です。議論を構造化するのにもっとも強力で、それだけに使い方が一番難しいチャートです。

たとえば「会議で求められるものは何か？」というテーマで議論をしたとしましょう。おそらく、いろんな切り口からいろんなレベルの意見が出て、整理をしようにも一筋縄ではいかないはずです。ある人は成果の質が重要だと言い、ある人はメンバーが納得することが大切だと主張する。どちらの意見も間違っておらず、この議論をいつまでやってもかみ合いそうにありません。

こういうときにこそマトリクス型が威力を発揮します。対立の元になっている観点を見抜き、それを軸にして議論の全体像を整理してみせるのです。

マトリクス型には、表とマトリクスチャートの2つのタイプがあります。どちらも、一刀両断の下に混迷する議論が整理できる切れモノです。

加えて、前者は網羅的に意見が整理できるというメリットがあります。後

図 3-20 | マトリクス型のチャートで議論を切る

2つの方法の特色をちゃんと把握しておこう!!

	全員で テーマを1つずつ討議	2つのグループに分かれて 違うテーマを分担討議
●メンバーの 多様な関心 への対応	✓ ある特定テーマの時には、関心の薄い/分からないメンバーが出てきそう	✓ 各回、性質の違うテーマを組み合わせると、全メンバーが前向きに取り組めそう
●議論の 深まり	✓ 全員(～30人)でやると、浅くなりがち…	✓ 一人一人の発言機会も増え、ギロンも深まる(＜満足感もアップっ!!)
●メンバーの 一体感	✓ 全員で1つのことに取り組むという一体感有り ✓ 全員がどのテーマ習熟	✓ 若干希薄になるか!? ✓ 共有のしかたの工夫次第?
●ハードル	✓ 大会場の手配に苦労 ✓ 同じく、日程調整	✓ そんなに都合良く毎回 2テーマを設定できる??

者は、単純な区分けだけでなく、中間的なポジションも表現できるので、微妙な意見のニュアンスも扱えるのが特長です。

フレームワークで議論を構造化する

マトリクス型のポイントは切り口の選び方に尽きます。行（縦軸）と列（横軸）にどんな切り口を選ぶかによって、スッキリと整理できたり、うまく構造化できなかったりします。軸によって切れ味が変わってしまうのです。

これを逆手にとれば、ファシリテーターの都合のよい構図に議論を誘導できます。使い方が難しいと言ったのはこのことで、良い議論となるよう戦略的に使いたいのですが、あまり露骨にやるとメンバーの主体性を損なってしまいます。必ずメンバーの同意を得て、切り口を決めるようにしてください。

良い切り口とは、微妙な意見の違いが分離でき、しかもまんべんなく全体像がカバーできるものです。こういった切り口を見つけるには、前に述べたフレームワークを使うのが一番の方法です。これはマトリクス型に限らず、他の基本パターンでも言えます。議論の軸がなかなか見つからないときは、まず何か使えるフレームワークがないか探してみましょう。

議論の軸をそろえてすれ違いを防ぐ

ツリー型と同じように、マトリクス型は論点のすれ違いを防ぐのにも使えます。先ほどの例がまさしくそうで、成果の質かメンバーの納得感か、議論の軸がズレており、これでは議論がかみ合いません。ひょっとすると、互いの主張は対立していないのかもしれません。

こういう場合は、マトリクス型を使って議論の軸がズレていることを示してやると効果があります。その上で、一つひとつ論点を片付けていけば、かみ合わない議論に時間を取られずに済むでしょう。

さらに、マトリクス型も発想のツールとして使えます。縦横の軸の組み合わせから、強制的にアイデアを出していくのです。網羅的にアイデアを出すのに力を発揮し、思わぬ組み合わせから斬新なアイデアが生まれることもあります。やはり、切り口の選び方がアイデアの広がりに影響するので、うまくいかなければ、一度ご破算にして一から考え直す勇気が必要となります。

133

図 3-21 │ 代表的なマトリクス型のチャート

● Tチャート

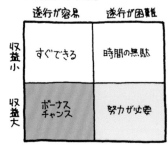

● ペイオフマトリクス

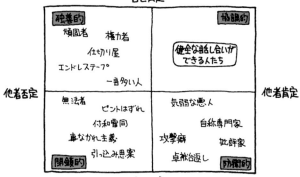

● ポジショニングマップ

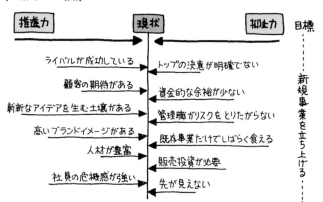

● フォースフィールド分析

134

デザインに
磨きをかける

▬ レイアウトの構想を立てる

レイアウトの良し悪しが見栄えを決める

　構造化でもう一つ忘れてはならないのが、グラフィックを描くスペース全体の構造化です。それによって分かりやすさが大きく左右されます。

　勢いこんで描き始めたのはよいが、スペースが足らなくなり、せっかく描いたものを消さざるをえなくなった。逆に、遠慮して小さな文字で描き始めたところ、窮屈で見にくくなった上に、大幅にスペースが余ってしまった。あるいは、必要な項目はモレなく描いたものの、全体を見渡したときにバランスが悪く、見た目にも分かりづらい。そんな経験はないでしょうか。

　これらはすべてレイアウトがうまくいかなかったために起こる症状です。議論のボリュームや性質に合わせて、「スペース全体をどのように活用するか？」を前もって考え、限られたスペースを効果的に使っていかなければなりません。ここでは、すぐに使えるテクニックを紹介していきましょう。

紙面をいくつかのブロックに分割する

　必要なスペースの確保については第2章の準備の項で説明しました。それができたら、どのようにキャンバスを埋めていくか、スペースの使い方の作戦を事前に立てます。レイアウトの構想（プラン）を立てるのです。手っ取り

早いのは、第2章で紹介した3つの基本フォーマットのうちどれかを使うことです。

①話し合いの流れが分かりやすい「リスト型」

②議論のモレやヌケが少ない「チャート型」

③自由奔放に発想が広がる「マンダラ型」

これら3つを使い分ければ、たいていの話し合いは記録できます。ここでは、応用範囲を広げるために、もう少し一般的なやり方を説明します。

スペースを確保したら、記録スペースをいくつかのブロック（グリッド）に分けて、どこに何を描くのかイメージします。そうすることで、記録しやすくなると同時に、できあがりもスッキリとまとまります。やり方としては、以下の3通りがあり、組み合わせて使う場合もあります。

1）段組型

文書作成ソフトの段組設定のように、紙面を複数のブロックに分け、ひとつのブロックがいっぱいになったら、次のブロックに移って、そのブロックの頭から描いていくやり方です。リスト型が使いやすいフォーマットです。

2）表型

左右あるいは上下に2〜4つのスペースに分割して、項目ごとに描き分けていくやり方で、チャート型やリスト型で使います。プロジェクトマネジメントで使うKPT（Keep、Problem、Try）はその典型です。他に賛成／反対、現況／問題／対策、現在／1年後／2年後などいろんな切り口で使えます。

3）マルチ分割型

放射状に4〜9つのブロックに分けて描くやり方で、チャート型やマンダラ型でよく使います。内容で描き分ける場合もあれば、文字のブロック、図のブロックと表現形式で描き分ける場合もあります。ブロックをあまり細かく分けすぎると、かえって分かりにくくなるので要注意です。

どの型にせよ、描いていく流れは、上から下へ、左から右へ、時計回り、が原則です。この原則を守ると、見ている側も情報がすんなり入りやすいのです（もちろんあくまで原則ですので、それに即さないときもあります）。

図 3-22 | 画面を分割してレイアウトを考える

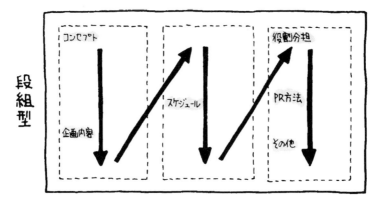

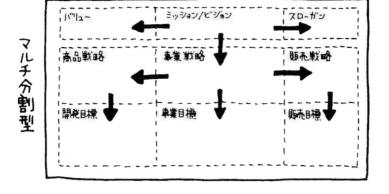

描きながらレイアウトを調整する

常に全体をイメージしながら配分を考える

　あらかじめレイアウトをしっかり設計したとしても、話し合いはこちらが思うように進行してはくれません。予想外に議論が盛り上がってスペースが足らなくなったり、まったく意見が出ずスペースがぽっかり空いたり…。

　それでもベテランともなれば、用意したスペースを過不足なく使って、どんな話し合いになろうが、予定した通りに収めていきます。どうやったら、そんな芸当ができるのでしょうか。

　答えは簡単で、描きながらレイアウトを調整しているのです。描くことが予定より多くなったら、要約の度合いを強めて文字数を減らし、文字を小さくして密にスペースを使う。逆に、少なくなったら細かく意見を拾い、絵などを使ってたっぷりとスペースを使う。できあがったときにバランスがよくなるように、常に最終の形をイメージしながら調整するのです。

最初から張り切りすぎない

　よくある失敗は、どのくらい描けばよいか分からず、最初から細かく意見を拾いすぎてスペースが足らなくなるケースです。話し合いの冒頭は、描くのを抑え気味にして、じっくりと意見を聴くほうに回り、全体のスペースの使い方を見極める時間に充てるのが得策です。いずれ議論にエンジンがかかると考え、そのときに備えてスペースとエネルギーを蓄えておくのです。

　また、最初から細かくぎっちり詰め込んで描かないのもコツです。適度に隙間を取りながら描いていくのが大事であることは第2章で説明しました。

　それでも、調整しきれずスペースがあふれそうになることがよくあります。そういうときは、無理して詰め込まずに、紙を継ぎ足すなどして、潔くスペースを増やすようにしましょう。描くスペースに余裕を持たせるのもさることながら、スペースが意見でいっぱいになると、自然とメンバーからの意見が減ってしまう恐れがあるからです。

138

統一感を持たせつつ、リズムをつくっていく

　スペースをどんどん増やしていくと、記録全体の統一感がなくなります。そういうときに重宝するのが、文書作成ソフトでおなじみの「ヘッダー」「フッター」です。

　たとえば、模造紙を何枚も横に並べて貼ったときには、それぞれの紙の上部に色付きの罫線を引いて（あるいは枠囲みをして）話し合いのテーマを描いておくと統一感が出ます。見出しが統一感を生むのです。同じように下部にも罫線を引いたり、日付やページ数（ノンブル）を同じ様式で描いたりするとさらに統一感は増し、リズムも出てきます。

　1枚のホワイトボードをいくつかのブロックに分けて使うときにも、見出しの色、行頭記号、装飾などで統一感やリズムを出すのが効果的です。是非一度試してみてください。

図 3-23 ｜ 罫線や見出しで統一感とリズムを出す

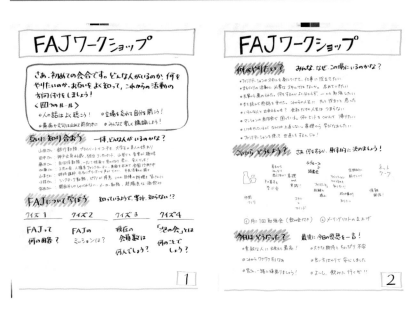

デザインのテクニックを駆使する

安定感のあるレイアウトを心がける

　完成されたグラフィックの中には、文字や図解が安定感をもって配置されているものもあれば、アンバランスなものもあります。「バランスが良い／悪い」「安定／不安定」というのは、いったい何を指しているのでしょうか。

　バランスを考える上で決め手となるのが、見出し、囲み図形、罫線、図解、イラストなどの画面の中で目につく視覚要素です。いわば文章は柄（模様）にすぎず、主要な視覚要素のつりあいがバランスを決めます。

　人間の目は、面積が大きくて色が濃い（目に強い）要素ほど重量が重く、面積が小さくて色が薄い（目に弱い）要素ほど重量が軽いとみなします。天秤のように重さと距離でもって視覚的なつりあいを計っているのです。

　たとえば、スペースの上部に目立つ図解やイラストをふんだんに使い、下部にまばらに文章を並べると、上が重たくなりすぎて不安定なレイアウトになります。こういうときは、上下の内容を逆にする、上部に余白をつくる、下部に罫線や枠囲みを入れるなどするとレイアウトが安定してきます。

視線の流れと余白に注意を払う

　バランスとともに大切なのが、視線の流れです。上から下へ、左から右へといった、読み手の視線の自然な流れに合わせて、見出しやポイントとなる項目を配置することを心がけましょう。視線が行ったり来たりしたり、どこに行くのか迷ったりするようでは混乱を招きます。読み手の気持ちになって、分かりやすくて美しいレイアウトを心がけてください。

　さらに気を配ってほしいのが余白の使い方です。慣れないうちはどうしても詰め込みすぎて、余白がほとんどない紙面をつくりがちです。情報量が増えても、分かりづらくなってしまえば、議論を促進する効果が薄れます。余白があることで内容が引き立ち、皆のキャンバスを見ようとする気持ちが盛り上がって、ひいては議論がより良いものになるのです。

図 3-24 │ 視覚要素の大きさと強さがバランス感を決める

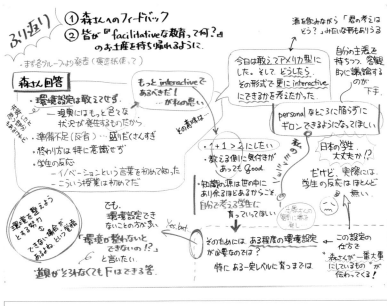

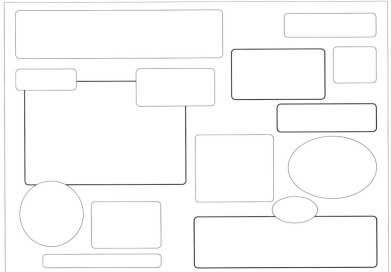

一見、脈略もなく配置されているように見えますが、囲み図形を中心とした視覚要素がバランスよく配置されており、とても安定感があるレイアウトとなっています。

141

デザインの４つの原則を守る

　見た目にも美しくかつ分かりやすいグラフィックをつくるのに欠かせない
のがデザインの４つの原則（近接・整列・反復・対比）です。これをキッチリ
と守るだけで、見違えるほど見栄えがよくなります。

　キャンバスにいろんな情報を詰め込むと全体像が把握しづらくなります。
関連する要素を近くに置けば理解しやすくなります（近接）。さらに、左詰め
やセンター寄せなど要素の位置をそろえると見やすくなります（整列）。

　一定のルールに従って同じ要素や表現を繰り返すと一貫性や統一感が生ま
れてきます（反復）。情報が多いときは、要素の大きさや色などを変えて、優

図 3-25 ｜ デザインの4つの原則

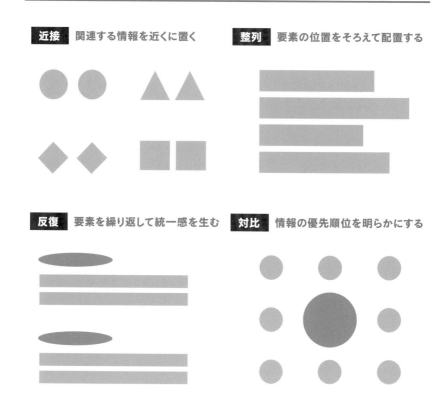

近接 関連する情報を近くに置く

整列 要素の位置をそろえて配置する

反復 要素を繰り返して統一感を生む

対比 情報の優先順位を明らかにする

先順位を明らかにするとメリハリがつきます（対比）。

描き方で与える印象をコントロールする

　最後に、記録した内容の印象をコントロールする、さらなる上級テクニックをお教えしましょう。会議やワークショップの演出方法として覚えておくと重宝します。実際には、描きながらこれらの点に配慮するのは難しく、前もってどの戦法でいくかを考えてから使うようにしてください。

１）文字（図形）と余白のバランス（版面率）

　情報誌のように、余白をできるだけ切り詰めて文字や図解でスペースを埋めていくと、議論の密度が濃い印象を与えます。逆に詩集のように、余白をたっぷりととって、記録内容をまばらにレイアウトすれば、落ち着いてじっくりと対話をした印象になります。余白のとり方で討議の密度が演出できるのです。

２）図（絵）と文章のバランス（図版率）

　文字ばかりでスペースを埋めて図形をできるだけ減らすと、やや読みづらくなってしまいますが、内容に対する信頼感が増します。論文がその代表例です。逆に、旅行誌のように、図解やイラストをふんだんに使うと、見やすくはなりますが、内容が浅い印象を与えかねません。図と文章の適度なバランスが、見やすくて信頼感のあるグラフィックを生み出します。

３）ブロック（段組）への忠実さ（拘束率）

　スペース全体をブロック化して、そのブロック(グリッド)からはみ出ることなく文章を収めていけば、新聞の紙面のように落ち着いて固い感じが演出できます。逆に、ブロック化をまったくせず自由にレイアウトしたり、したとしてもあまりそれに拘束されず、ブロックからはみ出してレイアウトすると、楽しく活き活きした感じになります。特に図解や囲み図形を使うときには、どちらの見せ方をするのか、ブロックとの兼ね合いに注意を払う必要があります。

４）文字の大小のバランス（ジャンプ率）

　スポーツ新聞は、躍動感や元気を演出するために、見出しに使う文字と本文で使う文字の大きさに極端に差がつけられています。反対に、文芸書では、

知的で上品な感じを演出するために、両者の差がほとんどありません。タイトルや見出しをどれだけ大きな文字で描くかで、活気側に寄せるか、品位側に寄せるかがコントロールできるのです。

実践のヒント⑤

Q　意見はそこそこ拾えるのですが、構造化やグループ化が苦手です。そういうファシリテーターはどうしたらよいでしょうか。

A　一番のお勧めは付箋を使うことです。拾った意見を付箋に書き出せば、格段に構造化しやすくなります。みんなでワイワイ議論しながら整理していくこともできます。

分からなければメンバーに訊く、といったやり方もあります。どの意見と意見がひとつにまとめられるのか、そこにどういう共通点があるか、メンバーに尋ねて提案してもらうのです。素直に教えを請えば、必ず助けてくれる人が現れます。言い換えれば、メンバーにうまく頼るやり方です。

あるいは、構造化が得意な人と組むやり方もできます。抽象化⇔具体化の思考に長けていたり、タイトルを思い浮かべるのが得意な人にメインのファシリテーターとして立ってもらいます。自分はサブとしてグラフィックに力をかけ、できないところは助けてもらうようにします。二人三脚でファシリテーションするわけです。

構造化の作業をファシリテーター1人が背負いこむ必要はありません。チームの力を最大限に引き出すのもファシリテーターの大切な仕事です。

第4章

応用編 │4

状況に応じてやり方を変える

オンラインの
時代がやってきた

▬ オンラインこそファシリテーション・グラフィックが大事

便利だが達成感が低いオンライン会議

　オンラインミーティング／Web会議はもはや仕事や生活に欠かせないものとなりました。オンライン会議には、移動の手間が省ける、在宅でも参加できる、スケジュール調整が楽といった多くの利点があります。対面によるプレッシャーがないため、「こちらのほうが話しやすい」という人も少なくありません。

　ところが、発話するタイミングが取りにくく、空気が読みづらいとう弱点があります。そのせいで、掛け合いで議論が盛り上がったり、発言の激しい応酬が続く乱打戦にはなったりしません。1人ひとりが順番に発言して終わりという形になりがちです。

　そうすると、互いの反応がよく読めないこともあり、意見をしっかりと受け止め合った、という実感が得られにくくなります。しかも、それぞれが言っている観点がズレていたりして、結論が出たとしても、しっかりと議論をかみ合わせた感じが持ちづらい状況になります。

　その結果、「腹落ち感がない」「握れた感じがしない」「達成感がない」という声がよく聞かれます。一体、どうしたらよいのでしょうか。

ビジュアル情報を元にして話し合う

　私たちが世界を認識したり、他者とコミュニケーションを取るときに、視覚、聴覚、身体感覚の３つの感覚を使っています。英語の頭文字を取って**VAKモデル**と呼びます。

　リアル（対面）の会議だと、目にさまざまなものが飛び込み（視覚）、豊かな発話を耳にし（聴覚）、その場の空気を感じながら（身体感覚）議論が進んでいきます。豊かな情報の中で話し合いをしているわけです。

　それがオンライン会議になると、視覚情報は狭いパソコンの２次元の画面に限られ、身体感覚情報に至ってはほとんどありません。聴覚情報だけがリアルのときとさほど変わらず、話し言葉を拠り所にして議論が進んでいきます。どうしても空中戦になりやすく、それが先ほどの問題を生み出す原因の一つになります。

　聴覚情報が主体のオンライン会議こそ、話し合いを地上戦にするための視覚情報を増やしてあげることが不可欠です。「議論を描いて、見ながら議論する」ことを手抜きし、音声の世界だけでなんとか切り抜けようとするのは大間違い。オンライン会議をなめていると言わざるをえません。

　今、話し合っている論点（問い）をA4用紙に書いて、カメラで写すだけでも結構です。チャットに今日の議論の進め方や本日の結論を書いて、共有するのでもかまいません。他にもやり方や程度はいろいろありますが、とにかく視覚情報を活用して話し合いを促進していきましょう。ファシリテーション・グラフィックはオンライン会議ではますます必要になるのです。

図4-1 ｜ VAK モデル

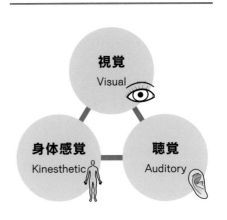

オンラインのグラフィックはここが違う

手軽で簡単、とっても便利

　ホワイトボードに議論を描くのと、パソコンを使って記録するのとどう違うのか。はじめにオンラインでのグラフィックのメリットとデメリットを押さえておきましょう。

　まず、オンラインなら手軽で簡単です。使い慣れたビジネスソフト（例：PowerPoint）を開いて画面共有すれば準備完了。キャンバスを増やすのも、ページ追加すれば一瞬。みんなの前に立つプレッシャーもありません。

　次に、字の上手い下手が問題にならず、苦労せずとも整然と書けます。図形や矢印も綺麗に描けます。誰でも、読みやすい、整った、綺麗なグラフィックができます。描いたものを整理したり、書き直したりも容易です。

　さらに、電子ファイルとしてそのまま保存でき、記録の保持や共有が極めて楽なのが有難いです。リアルのときのようにいちいちスマホで撮るという手間がかかりません。あとで追記や修正することもできます。

リアルのようにはいかないこともある

　一方、一覧性という観点からは不利です。画面の大きさにもよりますが、部分と全体を同時に見るのが難しくなります。複数のキャンバスを用意して、あっちを見たりこっちを見たりしながら議論する、という芸当は苦手です。

　記録スピードもリアルに比べて劣ります。文字を打ち込んだり、変換したりでそれなりに時間がかかります（時折、恐ろしいほどのスピードと正確性でタイプする人がいるにはいますが…）。また、構造化をしようと思うと、リアルより時間がかかってしまうのが普通です。

　さらに、手描きの文字や図解やイラストの活き活き感、前に人が立ってあちこち動きながら描いていく躍動感、壁一面のキャンバスが議論とともに埋め尽くされていく充実感は、得にくいといえます。若干の味気無さが伴うのは、オンラインの宿命でしょう。

148

図 4-2 │ リアル会議とオンライン会議のグラフィックの対比

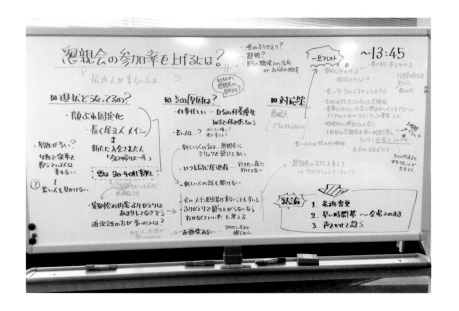

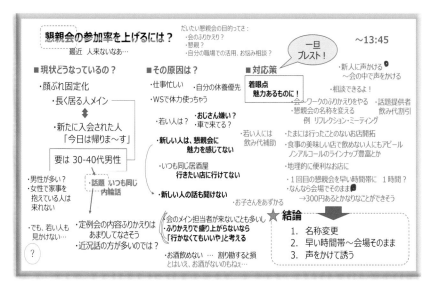

オンラインの時代がやってきた

第4章 応用編

149

オンラインでの グラフィックの 進め方

▰▰ 多彩なツールのどれを選ぶか

リアルと同様に、オンラインミーティングでファシリテーション・グラフィックをするときにも、さまざまなキャンバス〜描かれる道具（to write on）があります。ここではそれを紹介しましょう。

一番お手軽なビジネスソフト

一番のお勧めは、WordやExcelといった、普段から使い慣れた**ビジネスソフト**を流用する方法です。誰でもすぐにでき、組織の中で他の人と共有したり追記したりもしやすいのが魅力的です。

1）プレゼンソフト

中でも使い勝手がよいのが、2次元に情報を配置しやすいPowerPointです。これを標準の作成画面のまま画面共有し、発言をテキストボックスに打ち込んだり、矢印や枠などの図形を使って図解したりします。元々図解用につくられたソフトであり、構造化にもちゃんと対応してくれます。

2）オンラインスライドショー作成ツール

広く利用されているのがGoogle Slidesです。機能としてはPowerPointと変わらず、デバイスによらず使えることと、皆で**共同編集**ができることが利点です。ただ、PowerPointに馴染んでしまっていると、若干の使いにくさはあるかもしれません。

図 4-3 ｜ PowerPoint を使ったファシリテーション・グラフィック

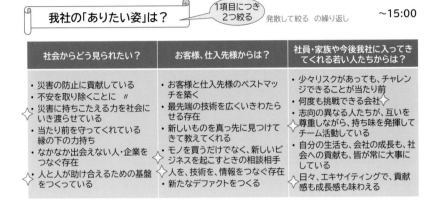

エディターで記録に徹する

　もう一つお勧めなのがこれです。簡単な話し合いなら、２次元に情報を展開して構造化しなくても、**エディター**を使って時系列（１次元）に議事を記録していけば充分です。そのまま議事メモとしても使えます。ただ、一覧性に欠けるのが難点ではあります。

３）テキストエディター

　Wordやメモ帳などを開いて画面共有し、そこに発言を記録していく方法です。プロジェクトミーティングのような定例の会議では、OneNoteやStockなどの情報管理ツールを使えば、議事メモの共有や管理が楽になります。

４）チャット

　それすら面倒な方は、会議のアジェンダや話し合いで出てきたキーワードをWeb会議ソフトのチャットに打ち込んでグラフィック代わりに使いましょう。これだけでも、やるのとやらないのとでは大きな差が現れます。

専用ソフトで自由自在に

　オンラインホワイトボードと呼ばれる専用ソフトがいろいろあります。自分に合ったものを見つけて使い込んでみてはどうでしょうか。

2　オンラインでのグラフィックの進め方

第4章　応用編

151

5）Web会議システムのホワイトボード機能

　機能はシンプルですが、初心者にはもってこいです。少し前までは使いやすさ的にいまひとつの感がありましたが、かなり改善されてきています。

6）ホワイトボードソフト

　Miro、Microsoft Whiteboard、Google Jamboardなどがよく使われています。いずれも付箋やテキストボックスに意見を書き込んでいき、互いを線でつないで枠囲みをして、という作業がしやすいようにつくられています。共同編集もでき、便利なテンプレートが用意されているソフトもあります。

　大きいキャンバス上でズームイン／ズームアウトでき、一覧のしにくさが解消されています。情報量が増えてきて広い面積が欲しいときに便利です。

7）iPad描画アプリ

　Procreateをはじめ、画面上で描画のできるアプリがいろいろ出ています。iPad上にタッチペンで文字や図形を描くことができ、しかも描いた文字列を後で動かしたり、拡大縮小できたりします。

図4-4｜専用ソフトを使ったファシリテーション・グラフィック

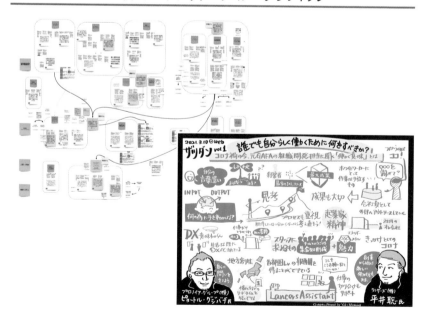

手描きを撮影する手もある

オンラインミーティングだからデジタルツールを使わねばならないというわけではありません。アナログな方法が便利な場合もあります。

8）リアルホワイトボード／模造紙

今まで通りホワイトボードを使って描き、それをカメラで映して共有すれば用は足ります。リアルとやることに差がないのが最大の魅力です。ただし、誰もが文字が読めるようにするには、解像度の高い外付けカメラを用意しなければなりません。大きめの文字で書くのもコツです。一方、在宅でやろうと思うと自宅にホワイトボードを置かねばならないのがネックです。

9）スケッチブック

A4やF4の大判のスケッチブックを手元に広げ、そこにグラフィックしていきます。必要なときに必要な部分をカメラに写し、「ここの部分なんですけど…」とか「今、こんな話になっていますね」とか言いながら共有します。スケッチブック全体を写真に撮って、画像ファイルを共有する手もあります。ハンディサイズのホワイトボードやA4紙を使ってもよいですね。

図4-5 | ホワイトボードをカメラで映す手もある

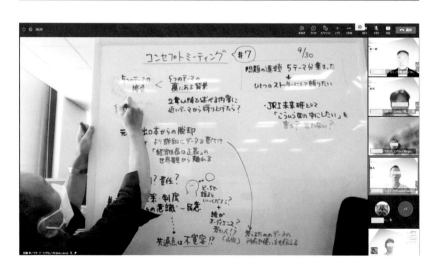

153

環境を整えてグラフィックに備える

できるだけ大画面を用意する

　ビジネスソフトや専用ソフトを使ってオンライン会議のグラフィックを行うとします。参加者の表情も見て、チャットにも目を配りながら、ソフトを開いて文字を打ち込んで、図形を配置して…これだけのことをノートパソコンの12インチの画面でこなすのは相当難があります。

　快適にやるには、14インチを超えるディスプレイにするか、デスクトップパソコンを使うか、大画面の外付けディスプレイを設置して2枚の画面でやりたいところです。若干の設備投資は必要だと腹をくくりましょう（1画面でやれてしまう人はそれでかまいません）。

　さらに、グラフィックを存分に活用したいときには、会議のメンバーにスマホではなくパソコンで参加するように前もって伝えておいてください。一所懸命に描いても、見てもらえなかったら意味がありませんから。

図4-6 ｜ ディスプレイが2台あれば心強い

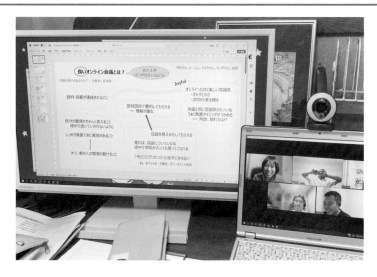

154

ファシリテーターとグラフィッカーの役割を分ける

　オンライン会議のファシリテーションはリアルよりも気をつかい、頭脳をフル回転させなければなりません。その上、ファシリテーション・グラフィックもしなければならないとなれば頭がパンクします。１人で両方こなすのは、ファシリテーターがいなくても自然と進むような状況以外は、無理です。

　オンライン会議では、ファシリテーターとグラフィッカーは分けて、２名体制で臨むのが現実的です。オンライン化によって、集まる手間や時間コストが低減できている分、ファシリテーションに２名投入するのはやむをえない、と考えてください。特に重要な話し合いの場合には、そこをケチったばかりに、ちゃんとした成果が出てこなかったら本末転倒です。

　次善の策としては、メンバーの中からグラフィックをやってくれる人を出す、という手があります。ソフトの操作と要約に長けている人を。ただし、この人は自分の意見を言う余裕を持ちづらくなります。それでも、ファシリテーションに２名も充てるなんて贅沢はできない、というケースでは有望な方法となります。

みんなで同時にグラフィックをする

　もう一つの手として、参加者全員がファシリテーション・グラフィックに関わるという方法があります。皆で同じファイルを開いて、自分の発言を自分で書き込んでいけば、わざわざグラフィッカーを立てる必要はありません。

　そのときに重宝するのが、Google Slidesをはじめとする共同編集が可能なドキュメントです。クラウド上にファイルを置いて、皆でそこに書き込みにいくのです。Web会議システムによっては、共有フォルダにファイルを格納しておくと、全員で開いて同時編集できるものもあります（例：Teams）。

　大人数が一つのファイルを同時に編集すると動きが鈍くなることがあり、回線の容量には気をつけなければいけません。また、回線の社内セキュリティの基準が厳しい、あるいは、違う会社の人同士で議論したい、という場合は同時編集はあきらめざるをえません。

155

ハイブリッドはこうやって乗り切る

　グラフィックがやりづらいのが、リアルとオンラインの参加者が混じるハイブリッド形式（場合）の話し合いです。グラフィックをするには、どんな準備をしたらよいでしょうか。

　全体討議の場では、リアルホワイトボードをカメラで映すか、ビジネスソフトか専用ソフトを画面共有すれば対処できます。難しいのは、時折必要になる小グループの話し合いです。

　それぞれのグループは、リアルはリアルのみ、Web会議システム上はWeb会議参加者のみ、と割り切って編成します。前者は、ネットワーク対応のホワイトボード（なければ写真に撮って共有）を、後者は共同編集できるソフトを使うのが一つのやり方です。

　どんなやり方をするにせよ、ファシリテーターの他に全体の面倒を見る役目が必要です。その人が、資料やり取り・画面共有、チャット上でのオンライン側との意思疎通、音声切替、リアル側のマイク移動、ブレイクアウト、その他Web会議に関わるテクニカルなサポートに奔走します。この手腕が、ハイブリッドの話し合いの成否を決めるといっても過言ではありません。

図 4-7 ｜ ハイブリッド会議の進め方例

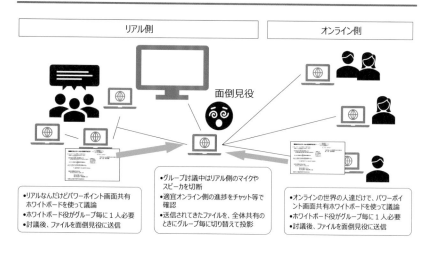

オンラインならではの
テクニックがある

▄▄ ビジネスソフトを使うならここがポイント

　誰もが簡単にできる、ビジネスソフトを使ってファシリテーション・グラフィックをするときのポイントを紹介しましょう。多くの人が馴染みのあるPowerPointをベースに解説します。

画面をできるだけ広くとる

　キャンバスができるだけ大きいに越したことはないのは、オンラインも同じです。メニュー部分が見えていると、肝心のキャンバス部分が小さくなってしまいます。大画面で編集しているグラフィッカーは大丈夫かもしれませんが、Web会議システムの画面を見ている会議メンバーに配慮するなら、キャンバスは少しでも大きいほうが読みやすいです。メニューのリボンの部分を折りたたんで、作業画面を少しでも広くしましょう。

　そこにあらかじめテ　マ、論点、ゴールなどを書いておさます。議論の手順も事前に考えておいて、スペースの割り振りをしておけば、スッキリとまとめられます。みんなで話し合いの流れを共有するのにも役に立ちます。

パーツを前もって並べておく

　じっくり考えながらプレゼン資料をつくるときと異なり、話し合いのテンポにあわせて議論の内容をスライド上に表現しようとすると、ひたすら時間

157

図4-8 │ メニューのリボンは折りたたもう

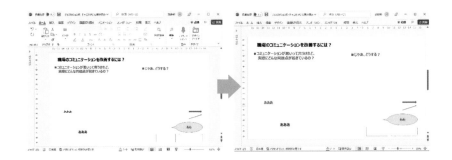

との戦いになります。ショートカットキーをフル活用するなどして、時間を食う余計な操作はできるだけ削らなければなりません。

　案外バカにならないのが図形の選択や書式の設定です。発言を文字に打ち込む時間よりも、メニューからテキストボックスを選択して、スライドに新しいテキストボックスをつくり、時にはフォントサイズや色を調整して…といった作業に時間を取られます。

　そこで、話し合いが始まる前に、自分がよく使う部品を図4-9のように作業画面に置いておくようにします。部品としては、次のものがあればだいたい足りるでしょう。

　・普通に意見を書くためのテキストボックス

　・強調したい意見を書くためテキストボックス

　（フォントの大きさ、太さ、色を変える）

　・枠

　・吹き出し

　・矢印

　こうしておくともうひとつよいことがあります。メニューをほとんど触らなくてよくなるので、メニューのリボンの部分を折りたたんで作業画面を広く取っても困らなくなります。

図4-9 | あらかじめ部品を配置しておく

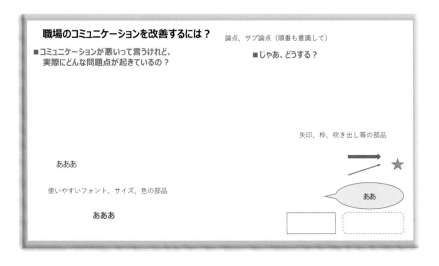

1つのテキストボックスに1つの意見を

　出てきた意見はテキストボックスに打ち込み、適切な場所に配置し、構造化していきます。そのために、1つのテキストボックスに1つの意見を書くのが原則です。

　1人が複数の意見を言った場合には、同一テキストボックス内で改行して描いていくのではなく、面倒でもテキストボックスを分けて記録するようにします。同一テキストボックスにまとめて描いてしまうと、行間の余白が生まれず、また、後で動かしたくなった（例：似たようなものを寄せる）ときに困ってしまうからです。

削除・移動・複製を駆使する

　PowerPointがリアルのホワイトボードと大きく違うのは、書いたものを簡単に削除・移動・複製できることです。これを活用しない手はありません。

　一旦記録したものでも、不必要だと思ったら潔く消して、全体を見通しやすくしましょう。構造化をした後に「この意見はこっちのグループに入れたほうがいい」と判明したら、躊躇せずに動かしておきます。

中でも重宝するのが複製、すなわちコピペです。似たような意見はコピペして編集すれば事足ります。参加者がチャットに打ち込んだ意見も、コピペすれば書く手間が省けます。参照すべき情報があったら、元の資料から該当箇所をコピペすれば、その周りに直接描き込む形で検討の記録を残していけます。

　一括して複製できるのも魅力です。意見の洗い出しをした上で次の討議に進むときに、スライドごと複製をして、次のステップに必要な部分だけを残す——といった芸当ができます。

編集して分かりやすくする

　加えて、色、文字サイズ、図形サイズなどを書いた後で変更できるのも大きな利点です。

　たとえば、前半は問題点の洗い出し、後半は解決策の考案と2ステップで進めていたとしましょう。前半が大いに盛り上がり、予定よりたくさんスペースを使ってしまいました。リアル会議だと、ホワイトボードをもう1台持ってくるか、消して描き直さなければいけません。

　PowerPointなら、重要な話をそのまま残しつつ、それ以外は文字サイズを小さくして、スペースを生み出すことが簡単にできます。その上でレイアウトを調整すれば、話し合いの構造が分かりやすくなります。さらに、強調したい部分を赤色や太字にしたり、カラフルな手描きの線で関係づけたりするとメリハリがつきます。

　そうやって、議論の空き時間を活用するなどして、最適なものになるようどんどん手を加えていきましょう。一旦描いた後の編集作業がオンラインでのグラフィックの価値を決めるといっても過言ではありません。それをしてこそPowerPointを使う意味があります。

　ただし、大幅な編集を加えるときは、議論の参加者と対話しながらやらないと、みんながついていけなくなります。1人で暴走しないよう、くれぐれも注意してください。

図 4-10 ｜ 編集をすればスペースを生み出せる

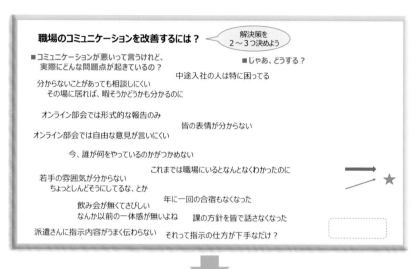

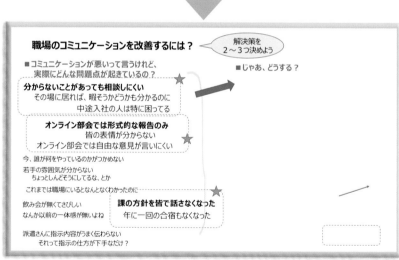

161

あらかじめフレームを用意しておくこともできる

　ここまで述べてきた方法はメンバーに自由に発言してもらい、それを記録して整理していくやり方です。使い勝手としては、リアルのホワイトボードに近くなります。

　それに対して、せっかくPowerPointを使うのなら、こんなやり方もできます。あらかじめ議論のフレームを描いたスライドを用意しておき、そこに意見を記録していく方法です。

　たとえば、何かの困りごとを解決する会議では、①問題共有、②原因探索、③対策立案、④行動決定の流れで話し合うのが、よくあるパターンです。だとしたら、これらの議題と考える切り口（着眼点）をあらかじめ描いたフレームをつくっておき、枠を埋めるように議論を進めていけば、スッキリとまとまります。検討すべき選択肢があるなら、はじめからスライドに描いておけば、ヌケモレが防げます。

　このやり方だと、事前の準備に手間がかかりますが、ライブで意見を整理する手間が省けます。当日の負荷が減れば、ファシリテーターがグラフィッカーを兼ねやすくなります。

　会議の参加者も、フレームに沿ってロジカルに議論を進めることができます。枠があるほうが考えやすく、時間の節約にもつながり、共同編集もやりやすくなります。結果的に会議時間の短縮に寄与します。

やりすぎは禁物

　ただし、フレームを用意しすぎると窮屈に感じる人が出てきます。ファシリテーターに誘導されているのではないか、と疑念を抱く人が出てこないとも限りません。下手をすると、結論はスッキリとまとまっても腹落ち感が少ない、となる恐れがあります。偶発的なアイデアも出にくくなります。

　何事もバランスが肝心。事前にどこまでスライドをつくり込んでおき、どこまでライブに委ねるか。会議のテーマやメンバーの状況に応じて臨機応変に調整するノウハウを経験の中から培うしかありません。

図 4-11 | あらかじめ議論のフレームを用意しておく

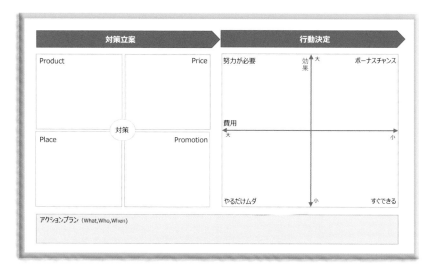

━ エディターを使うならここがポイント

　定例の意思決定の会議などでは、議事メモをつくる要領で、テキストエディターでグラフィックをするのが便利です。そのときのポイントをいくつか紹介しましょう。

とにかく速く書く

　エディターを使う一番の理由は、速く書けるからです。グラフィックが遅いと、タイプが終わるまで発言を控えるようになり、ただでさえ間の悪いオンライン会議がますますぎこちなくなります。これでは本末転倒です。

　自分が使い慣れたソフトを選び、可能な限り速く打ち込むようにしましょう。体裁を整えるのは、後で空き時間にやればよく、ひとまず議事の記録に集中します。

　議事メモは、発言録ではありません。全部の発言を拾うのが理想的ですが、それをやっているとタイプが間に合わないと思います。グラフィックがどんどん縦長になって、スクロールして見返すのも大変です。

　同様の発言は省略するなど、議事に影響が大きいものを優先的に拾いましょう。何を書いて何を書かないかを判断する瞬発力が問われます。

文章をコンパクトにする

　速く書くためにも、分かりやすくするためにも大切なのが、文章を短くすることです。発言の真意を短い文章にまとめる要約力が大事です。

　発言の頭から記録しようとすると、どうしても文章が長くなり、一番大事な部分や真意が伝わりづらくなります。発言の最後で意図が分かり、書き直しになることもあります。

　発言を追っかけながら書くのではなく、落ち着いて一旦発言を最後まで聞いてから、要約してみてはいかがでしょうか。見違えるほど文章がコンパクトになるはずです。

　記憶力に自信がない方は、発言中はキーワードだけを拾っておき、後で文

章にまとめる手もあります。これなら、どんなに長い発言にも対応できます。

アウトライン化する

　論点、意見、結論に関わらず、最初は箇条書きでどんどん書いていきます。それがある程度たまったら、ツリー型の一種であるアウトラインを使って構造化します。

　アウトラインとは、本の目次のように番号、行頭記号、字下げ（インデント）などを使って、階層構造や主従関係を表したものです。平たく言えば、粒度が違う内容を大項目、中項目、小項目などに整理して、視覚的に分かりやすくしようというのです。

　やり方は、グループ化のところで述べた通りです。それを平面的（2次元）に並べるのではなく、直線的（1次元）に並べるのが違いです。字下げをうまく使うことが構造を分かりやすく見せるポイントです。

図4-12 ｜ アウトライン化すれば分かりやすい

```
＜商品開発3課　定例会議　10月度＞
日時：2022／10／17　13：00〜14：00　オンライン開催
参加：鈴木、◎田中、佐藤、渡辺、木村、吉田、△山下、坂東、★中野

○#5416開発進捗状況
　－報告
　　・予定より2W遅れている。開発メンバー2名の応援を求めたい（田中）。
　－検討
　　・本当にマンパワーの問題なのか？　計画に甘さがあったのでは？
　　・残業や休出の状況は？　労組から目をつけられているので注意を
　　・安易な仕様変更を認めてしまうと元も子もない。ルールの徹底を。
　　・スケジュール以外のリスク要因は洗い出せているのか？　→済！
　－結論
　　・#5670メンバーから2名の応援を出す（12月末まで）→急ぎ人選を
　　・仕様変更のルールを徹底することを関連部署に連絡（佐藤）

○オンライン会議の活用促進
　－課題
　　・会議の効率を高めるためにグラウンドルールを設定したい（WG化）
　－審議
　　・実態調査をするのが先では。特に問題を感じていない人が多い。
　　・最近顔出しをしない人が増えコミュニケーションがとりづらい。なぜ？
```

165

Wordにはアウトラインづくりを自動化してくれる機能がありますが、慣れないとかえって使いづらいです。メモ帳などを使って手動でやったほうが早かったりします。

　あるいは、Excelのセルをテキストボックスとして使うと、初心者でもアウトライン化しやすいです。チャットを使って記録している場合は、一旦テキストファイルに落としてから、アウトラインに編集し直すことになります。

図4-13 ｜ Excelを使ったアウトライン

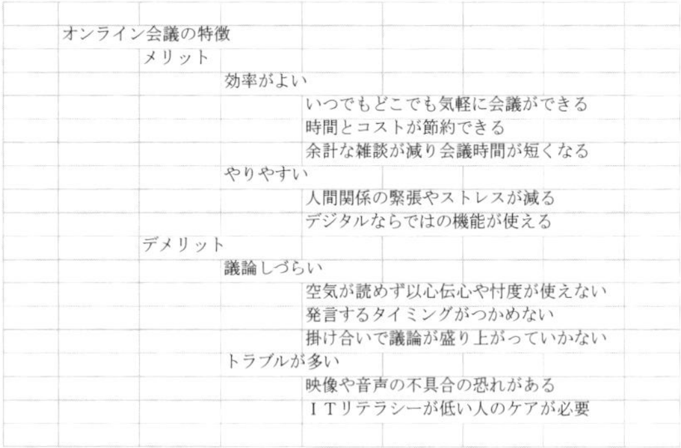

```
オンライン会議の特徴
        メリット
                効率がよい
                        いつでもどこでも気軽に会議ができる
                        時間とコストが節約できる
                        余計な雑談が減り会議時間が短くなる
                やりやすい
                        人間関係の緊張やストレスが減る
                        デジタルならではの機能が使える
        デメリット
                議論しづらい
                        空気が読めず以心伝心や忖度が使えない
                        発言するタイミングがつかめない
                        掛け合いで議論が盛り上がっていかない
                トラブルが多い
                        映像や音声の不具合の恐れがある
                        ＩＴリテラシーが低い人のケアが必要
```

メリハリをつける

　グラフィックのボリュームが大きくなってくると、アウトライン化だけではポイントが分かりづらくなります。同じく、すき間時間を活用して、メリハリをつけていきましょう。

　一番効果的なのが色です。重要な発言を赤文字に、結論部分を青文字にするといった具合に。とはいえ、目立てばよいわけではなく、色使いにはルールが要ります。やたら色づけしたのではかえって目立たなくなり、必要最小限に絞るべきです。

　色の他に、フォント（種類、大きさ、太さ、斜体など）、下線、網掛けなど強調の仕方はいろいろありますが、カラーほどのインパクトはありません。色を主にしながら補助的に使う程度に留めておくのが無難であり、やはりやりすぎは禁物です。

図 4-14 ｜ アウトラインにメリハリをつける

＜商品開発3課　定例会議　10月度＞
日時：2022／10／17　13：00〜14：00　オンライン開催
参加：鈴木、◎田中、佐藤、渡辺、木村、吉田、△山下、坂東、★中野

● #5416開発進捗状況
　　ー報告
　　　　・予定より2W遅れている。開発メンバー2名の応援を求めたい（田中）。
　　ー検討
　　　　・本当にマンパワーの問題なのか？　計画に甘さがあったのでは？
　　　　・残業や休出の状況は？　労組から目をつけられているので注意を
　　　　・安易な仕様変更を認めてしまうと元も子もない。ルールの徹底を。
　　　　・スケジュール以外のリスク要因は洗い出せているのか？→済！
　　ー結論
　　　　・#5670メンバーから2名の応援を出す（12月末まで）→急ぎ人選を
　　　　・仕様変更のルールを徹底することを関連部署に連絡（佐藤）

● オンライン会議の活用促進
　　ー課題
　　　　・会議の効率を高めるためにグラウンドルールを設定したい（WG化）
　　ー審議
　　　　・実態調査をするのが先では。特に問題を感じていない人が多い。
　　　　・最近顔出しをしない人が増えコミュニケーションがとりづらい。なぜ？

最後に全体を眺めてみる

　テキストエディターを使うと1次元的に内容が配置されるため、スクロールしないと全体が見えません。グラフィッカーが書いているところと参加者が見たいところが食い違い、「ちょっと戻って見せてくれない」ということがよく起こります。共同編集のドキュメントだと各自が好きに見られるのですが、みんなの意識がひとところに集中せず、それも困りものです。

　一覧性が低いことへの一つの対策は、会議中は今書いているところに集中してもらい、終わる前に全体を俯瞰してみる時間を取ることです。

　記録した画面をスクロールしながら、論点、結論、重要事項、アクションプラン（項目、担当、納期など）を確認していきます。あいまいな点や抜けている話があれば、その場で議論をするよう促します。案外そこで議論が再燃することが多く、その時間を見越して会議をスケジュールしておかなければなりません。

167

脚光を浴びる グラフィック・ レコーディング

なぜ今グラフィック・レコーディングなのか?

作品自体がファシリテーター

　これまでは、どちらかと言えば文字(言葉)が主で、絵などのグラフィック要素が従のファシリテーション・グラフィックでした。それに対して、後者を前面に押し出した、よりビジュアルな要素の強い「見える化」がさまざまな場面で利用されるようになってきました。

　たとえば、発言を短い言葉で書く際に、文字の形、色、影付け、網掛け、囲み図形など装飾に工夫を凝らし、ニュアンスが伝わりやすくします。文字の代わりに絵を使って内容のイメージを伝えます。さらにキャンバス全体を色を使ってブロック化したり、話の流れをグラフィカルな矢印で関係づけたり。「一枚の絵を描き上げる」ように話し合いを記録(レコード)していきます。

　これが**グラフィック・レコーディング**です。それを実践する専門スキルを持った人を**グラフィック・レコーダー**と呼んだりします。

　グラフィック・レコーディングにおいては、グラフィックそのものが話し合いを促進してくれます。ファシリテーターという人間があれこれ投げかけをせずとも、作品自体がファシリテーターという役割を担ってくれるわけです。なぜ、そうなるのでしょうか。

図 4-15 ｜ テキスト主体かグラフィック主体か

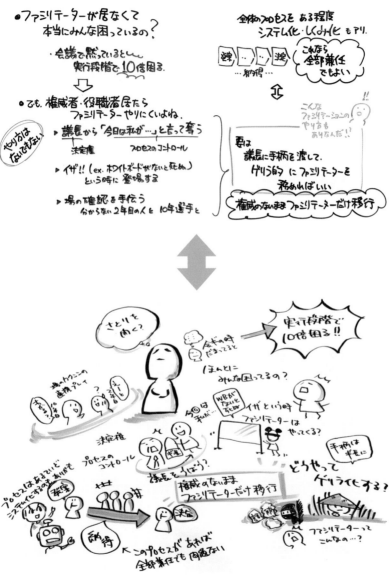

参加しやすい場になる

　一つは、参加のハードルが下がり、皆が参加しやすくなるからです。

　たとえば、行政の主催する住民の話し合いの場を想像してみましょう。きっちりと並べられた机と椅子、偉い方々のご列席、手元には文字と表ばかりの無味乾燥な文書。この時点で参加者はガチガチに硬くなるはずです。

　でももし壁一面に貼った模造紙があって、そこに色とりどりのポップな文字や、ふっと心が和むようなイラストが描かれていったら…。参加者の気持ちもいい意味で緩むのではないでしょうか。

　ビジュアルのおかげで、空気が柔らかく、楽しそうで、華やかになり、皆の参加しようという気持ちが高まります。大人やベテランだけでなく子供や新参者も、また、ロジカル派だけでなく感覚派の人も参加しやすくなります。テキストで埋め尽くされた板書では読もうと思ってくれない人でも、絵があれば見ようとするかもしれません。

伝わりやすくなる

　しかも、字より絵のほうがイメージを直感的に伝えることができます。感情や場のムードのように、言葉では表しにくいニュアンスを表現できます。たとえば、盛り上がった話し合いの雰囲気を残そうと、キャンバスの端に「盛り上がった」とメモしてもまったく伝わりません。皆が盛り上がっている絵のほうがずっと力があります。

　世代や文化が違ったり、言語・国籍が違ったりする場合にも、ビジュアルが相互理解の拠り所になります。近年、多様性（ダイバーシティ）の重要性が叫ばれていますが、多様な人が集まった場になればなるほど、グラフィックは力を発揮するでしょう。

発想とコミュニケーションを刺激する

　さらに、絵は発想を膨らませる起爆剤になります。それは、かみ合った話し合いをする上でも役立ちます。

　言葉は、物事を精確に伝えてくれるときもあれば、逆に我々を錯覚の世界

に放り込むときもあります。たとえば、ホワイトボードに「職場の活性化が重要」と書いてあると、なんとなく分かったつもりになります。うるさ型の人がいないと、「ここで言っている活性化って何ですか?」といった掘り下げをせず放置してしまいます。

　ところが、こぶしを振り上げている人の絵で「活性化」を表現したところ、「あれ?そういうことなの?」「いや、そういうのじゃないんだなあ」「もっとこんな感じかな」といった、皆の違和感やひらめきが出てきました。グラフィックが皆の発想を刺激し、コミュニケーションを促進してくれるのです。

全体を見渡した思考ができる

　また、言葉はちゃんと読まないと理解しにくい特性があります。それに対して、よくできたグラフィックはパッと見れば分かり、全体像を把握するのに適しています。地図がまさにそうです。目的地までの順路を言葉で説明されるより、図のほうがはるかに的確かつスピーディに理解できます。

図 4-16 ｜ グラフィックが話し合いを促進する

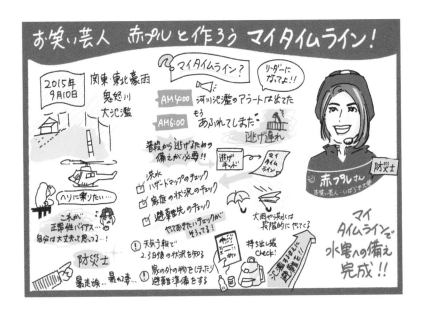

たとえば、「10年後の街のありたい姿」を話し合い、意見をテキストで必死に記録しました。ところが、文字がたくさん並んだキャンバスを見ても、「こういう姿を描いた」という感覚がわいてきません。一文一文を読んでいく作業は、意識を細部に向かわせ、全体像をつかむには不利です。

　それに対して、10年後の姿をビジュアルに表現できれば、誰もが一瞬でイメージが持てます。そうやって全体像がつかみやすくなれば、皆で共通の認識を持つのもぐっと楽になります。

場そのものを記録できる

　グラフィックを使えば、発言のニュアンスやそこに至るまでの葛藤、話し合いの場のにぎわいや興奮といった臨場感をも写し取ることができます。そのときにその場で起こったことを記録できるのです。加えて、視覚的情報は記憶に刻まれやすいという特徴もあります。

　そのため、一旦立ち止まってここまでの議論を振り返るのにグラフィックは役に立ちます。少し間が空いてしまった後で見返したときに、どんな話し合いをしたのか思い出すのに大いに力を発揮します。まさにグループメモリーをつくってくれるのです。

実践のヒント⑥

Q　個々の発言をビジュアルに記録できたとしても、最後は言葉でまとめざるをえないように思います。何かよい方法はありませんか。

A　手っ取り早いのが比喩(メタファ)や類推(アナロジー)を使う方法です。たとえば、「理想の職場」について話し合っているときに、みんながイメージする姿を何かにたとえられないか考えます。動物園、乗り物、スポーツ、飲食店といったように。そこにみんなの思いを当てはめていき、全体を一枚の絵としてまとめていくわけです。難しいのはしっくりくる比喩が見つかるか。それをみんなで話し合うことこそがチームづくりにつながります。

▓▓ こんなシーンで使ってみよう

　では、このような特徴や効用を持つグラフィック・レコーディングが真価を発揮するシーンにはどのようなものがあるでしょうか。

チームビルディングの場で

　チームづくりの場において大事なのは、いかにして皆に参加・発言してもらうかです。その上で、1人ひとりが何を考えていて、何を大事にしているかを理解し合うことが大切です。「このメンバーで一緒に取り組んでいこう」「何か新しいことが始まりそうだ」といった前向きな気持ちを抱いて帰ってもらわなければいけません。

　話し合いへの参加を促進し、ワクワク感を演出するのにグラフィック・レコーディングは打ってつけです。皆の語った内容をテキストでしっかり書き込むよりは、ビジュアルを使って描いたほうが場の空気がやわらぎます。その場で起こったことを記録するのにも優れています。

　具体的には、プロジェクトのキックオフミーティングやチーム・職場の立て直しの話し合いなど、多様な人たちの相互理解を必要とする場面で役に立ちます。あるいは、言葉だけで議論して行きづまった感があるときに、グラフィックを活用できないか考えるとよいでしょう。

ビジョン策定のワークショップで

　「これから世の中がどうなっていくか」「自分たちがどうなりたいか」「どのようなものをアウトプットしていきたいか」を表したものがビジョンです。その話し合いでは、テキストだけでは共通認識をつくりづらく、グラフィックを使うことで、直感的なイメージを共有しやすくなります。

　ビジョンとは「視覚」であり、将来の姿をみんなで見るのがビジョンづくりです。抽象的な言葉の合意で終わらせてしまうと見ているものが異なり、細かい部分で認識の差があることが後で表面化しかねません。直感的イメージの部分はグラフィック、詳細な部分の記述はテキストというように、両者を

173

併用するのが実用的です。

商品や事業をデザインするときに

　たとえば、新しいオーブントースターを企画しているチームがあるとしましょう。「ここはこんな形に」「ここにこんなツマミを」と言葉だけで話し合うより、スケッチを見せ合ったほうがはるかに話が早いです。ビジュアルがあると、チーム内の認識のズレも少なくなり、商品性の評価や改善点のアイデア出しもやりやすくなります。

　商品やサービスをみんなでデザインしているとき、中でも理屈ではなくて感性が決め手になるような場面でグラフィックが活躍します。新規ビジネスを考える場においても、顧客に提供する価値やそれを受けた顧客の喜ぶ姿をビジュアルに表現すると、事業性の見込みが実感しやすくなります。

マルチ・ステークホルダー・ダイアログで

　多様な利害関係者が一堂に会して話し合う場をそう呼びます。典型的なのが、コミュニティの課題について地域住民が意見交換するタウンホールミーティングです。企業の経営層が職場に出向いて、自社の方向性や問題点、従業員からの要望などを話し合うのもその一つです。

　こういう場は、どうしても雰囲気が硬くなり、力の上下関係（行政と市民、旧住民と新住民、経営者と従業員、ベテランと新人、話上手と口下手など）が色濃く出がちです。グラフィック・レコーディングはこういった場の空気を緩め、肩から力を抜いた状態で参加できるようにし、多様な人々のフラットな意見交換をやりやすくしてくれます。

イベントを盛り上げるのに

　多くのトークイベントやカンファレンスでは、基調講演やパネルディスカッションといった出し物が用意されています。講演や対談の様子をグラフィックに落とし込んでいくと、イベントを盛り上げるのに役立ちます。

　講演や対談を耳で聴くだけ、あるいは、印象に残った話を手元にメモするだけでなく、グラフィックがあれば参加者は鮮やかな記憶を残しておくこと

ができます。講演を受けて聴衆間でディスカッションをする場合に、グラフィックを参照しながら話し合うことも可能になります。

　こんなふうに数多くのシーンでグラフィック・レコーディングは有用です。とはいえ、向かないケースがないわけではありません。たとえば、その場で出てきた話の詳細を記録しておくことが重要な場合には、テキスト主体のほうが優ります。グラフィックに寄せるか、テキストに寄せるか、話し合いの性質に応じて使い分けるとよいでしょう。

図4-17 ｜ イベントの講演のグラフィック・レコーディング

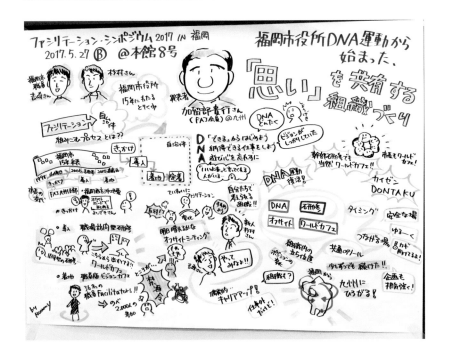

グラフィック・レコーディングをやってみよう

グラフィック・レコーディングの基本的な進め方

　今までテキストで書いていたものをグラフィックに変えたからといって、それだけで効果的な記録になるわけではありません。グラフィック・レコーディングを練習する前に、頭に入れておかなければいけないことがあります。

グラフィックの壁をつくる

　グラフィック・レコーディングは「ビジュアルがその場の参加者に作用する」という点が極めて重要です。そのための場づくりから始まります。

　皆がリアルタイムに見てくれなかったら、あるいは、部分的にしか見てくれなかったら、グラフィックの持つ本来の力を活かせません。テキスト主体のとき以上に、参加者がグラフィックを見てくれるように、グラフィックの全体が一覧できるように、会場をしつらえることが重要です。

　そのときに考えてほしいのがキャンバスの大きさです。大きければ大きいほど、参加者との相互作用は高まります。これから始まる話し合いへの期待感も高まります。それがグラフィックで埋め尽くされると大きな達成感が得られます。壁一面をすべてキャンバスにするなど、可能な限りキャンバスを広く取るのが成功の秘訣です。

　その点で便利なのが模造紙です。できるだけたくさん持っていって、会場の壁に貼りまくりましょう。ロール紙を使って壁を埋め尽くす手もあります。

図 4-18 ｜ 壁一面をキャンバスにする

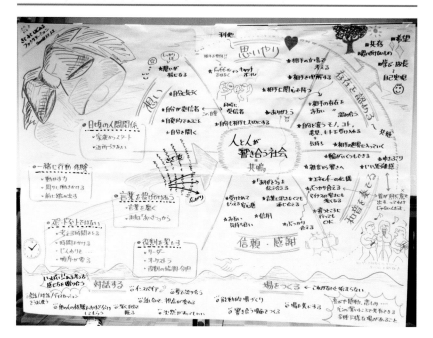

デジタル派の方はペンタブレットの画面をスクリーンに目いっぱい大きく投影するのでもかまいません。そうやって、グラフィックの力が最大限に発揮できる空間をつくりあげてください。

記録に専念する

前に述べたように、グラフィック・レコーディングにおいては作品自体がファシリテーターです。レコーダーは記録に専念して、効果的なグラフィックをつくりあげるのに注力しましょう。

発言を振る、問いを投げる、話をまとめるといった、いわゆるファシリテーターの動作はあきらめるか、必要最小限にとどめておくのが得策です。第一、グラフィックはテキストより手間がかかり、両方をやっている暇はとてもないはず。記録を優先させてください。

それで心もとない場合は、別に進行だけを受け持つファシリテーターを立

177

てて、二人三脚でやるのが賢い方法です。これなら記録に専念でき、描きも
らした話をファシリテーターに尋ねることができます。

　ただし、こうするとファシリテーターへの注目度が上がり、グラフィック
に参加者の意識がいきづらくなります。下手をすると会場に彩りを添えるだ
けのパフォーマンスになってしまいます。

　グラフィックを活かした話し合いになるよう、しっかりとファシリテータ
ーと連携を取ることが重要です。グラフィックを指し示しながら発言を促し
たり、要所要所でグラフィックをみんなで眺める時間を取るなどして。

ハーベストをお忘れなく

　グラフィックには、言葉にしづらい思いや話し合いのムードなど、その場
で起こったことが活き活きと記録されています。証拠写真を撮って廃棄した
のではもったいなく、できあがった作品をみんなで見ながら、話し合いを振
り返る時間が大切です。

　あらためて眺めればいろいろ気がつくことが出てきます。俯瞰してみるこ
とで新たな発想が生まれることもあります。そのときに気づかなかった深い
意味を発見する場合もあります。これこそが話し合いの成果であり、それを
収穫してこそグラフィック・レコーディングをやる意味があります。これを
ハーベストと呼びます。

　できれば、話し合いの最後にその時間を取りたいところです。グラフィッ
ク・レコーダーがファシリテーターとなって振り返りをリードするとよいで
しょう。記録しながら感じたことをフィードバックするのもよい刺激となり
ます。

　連続した話し合いだと、前回のグラフィックを振り返ってから始める、と
いう手もあります。記憶を呼び覚ますと同時に、時間をおくことで新たな発
見を引き出すことにつながります。

効果的なグラフィックを描くポイント

グラフィック・レコーディングのやり方は、今まで述べてきた方法と大きく変わるわけではありません。さらに以下のポイントに注意を払うと、よりグラフィック・レコーディングらしくなります。

目を引くタイトルを描く

ワークショップのテーマやイベントの表題など、今から始める話し合いのタイトルを、参加者の目を引くように描きます。そうすることで、みんなの注目を集めるとともに、これからこの場で起こることへの期待感を高めます。

単にタイトル名を大きく描くだけでは心もとなく、派手な装飾を加えたり絵を添えるなど、グラフィックを駆使してできるだけ目立つようにします。少し早めに会場入りをして、タイトルのデザインを仕上げてから、参加者の来場を待つようにしましょう。

図4-19 │ 目を引くタイトルを描く

柔らかい文字で勢いよく描く

　グラフィック全体の印象を決める要素として見逃せないのが文字です。話し合いの種類にもよるのですが、ポップ調のような柔らかい書体が、場の盛り上がりやにぎわい感を演出するのに向いています。角張った堅い調子の字しか描けない人は、事前に少し練習をしておくとよいかもしれません。

　もう一つ大事なのが字の勢いです。多少字は下手でも、勢いがあるとエネルギーが感じられてさらによしです。荒っぽくてもよいので、力強さが感じられる字が描けるようになっておきましょう。

短めに要約する

　いくら上手に絵が描けても、言葉を的確に拾って要約できないと用をなしません。この分野の元祖というべきD.シベッツも「Write first, draw second」と著書の中で述べています。

　グラフィック・レコーディングでは要約の密度を上げ、なるべく余白を取りながら、短めの文章で書くのがコツです。そうしないとグラフィックを描くスペースがなくなってしまうからです。時にはキーワードを拾うだけでも十分であり、足らない点はグラフィックで補っていきましょう。

アイコンを駆使する

　文字に頼っていたのでは、いつまでたってもグラフィック・レコーディングらしくなりません。腹をくくって、意識的にグラフィックで表現するようにしましょう。テキストで書いた場合も、絵や図を添えることで分かりやすくならないか、常にビジュアル化に心を配ります。

　そのときに頼りになるのがアイコン（101、102ページ）です。代表的なものは、素速く描けるようになっておかなければいけません。本やネットを探せば、言葉や状況に応じた作例がいっぱい見つかりますので、それを真似るところからスタートするとよいでしょう。

言葉にならないものを表す

　せっかくグラフィックを使うなら、発言の裏にある感情やその場の雰囲気など、言葉で表現しづらいことを表さないともったいないです。

　一番簡単なのが記録した言葉に、下線、色、網掛け、吹き出し、枠囲みなどの装飾を施すことです。そのやり方によって微妙なニュアンスの違いが表現できます。その場で起こったことをポップな文字で表すのもよく使われる方法です（例：ガーン！）。

図4-20 | **言葉にならないものを表す**

もう一つよく使う方法は、記録した言葉の横に顔を描き添えることです。怒った顔や不安な顔など、表情を変えることで多彩な感情が表せます。さらに、動作をつける（例：拳を振り上げる）、人物を複数にする（例：肩を組む）、背景を描きこむ（例：斜線で暗くする）といった方法もあります。

このあたりを学ぶのに打ってつけの教材が漫画です。実に多彩なテクニックが使われており、そういう目で漫画を読むと大いに参考になります。

コントラストとリズムをつける

グラフィック・レコーディングでよくやってしまう失敗の一つが、細部に気を取られるあまり、全体の流れやポイントが分かりづらくなってしまうことです。全体構想を持たずに描いてしまうとこうなりがちです。

一旦、今まで描いたものを眺め、話の切れ目に区切り線を入れて、全体をブロック化してみましょう。さらに各ブロックに見出しをつけたり、ブロック同士を矢印で関係づければ、全体の構造が分かりやすくなるはずです。

その上で、各ブロックの重要なポイントに、同じ方法で強調（例：色をつける、枠囲みをする）を施していけば、全体のコントラストとリズムが生まれてきます。構造化が苦手な方にお勧めの方法です。

図 4-21 ｜ 全体の配置にリズムをつける

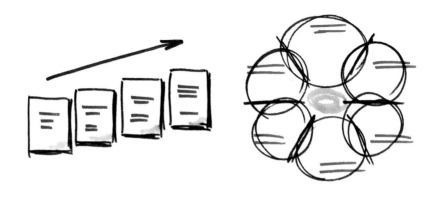

曲線や斜め線で躍動感を

　躍動感のあるグラフィックは、発想やコミュニケーションを刺激し、場の盛り上げに一役買ってくれます。そのために活用したいのが曲線や斜め線です。

　たとえば、キーワードを枠囲みするときに、角の取れた長方形や楕円形を使ってみる。矢印を直線で描かずに曲線を加える。区切り線を少し傾けて描いたり、緩やかにカーブさせてみる。そうやって垂直・水平のグリッドをわざとはみ出ることでグラフィック全体に動きが生まれてきます。

　線がはみ出したり、図形がかぶったりするのもご愛敬。筆の勢いを活かして、ダイナミックなグラフィックを目指しましょう。

図 4-22 ｜ 曲線や斜め線を使うと動きが生まれる

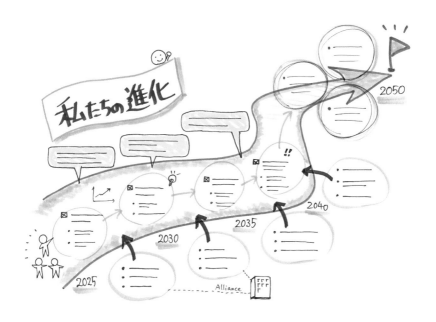

空き時間に仕上げる

　文字を綺麗に縁取りしたり、アイコンの細部を描き込んだり、そんなことをしていると肝心の発言を聞きもらしてしまいます。それは議論の空き時間にゆっくりやれば済む話、まずは全体を大まかに描き上げることに注力しましょう。

　これは、絵を描くのとまったく同じです。下絵（デッサン）を描き上げてから、形を整えたり、色を加えたりすればよいのです。たとえば、グラフィックが苦手な方は、とりあえずテキストで全部書いてしまい、後で絵や図を描き加えていくといったやり方もできます。

実践のヒント⑦

Q　本に載っている手本のようにうまく描けません。どうしたらよいでしょうか。

A　月並みな言い方になりますが、あきらめずに場数を増やすしかありません。そのためのマインドセットをお話しましょう。
　あまりにうまく描くと、観る人が圧倒されてしまいます。話し合いの主役はメンバーとそこから発せられる言葉なのに、グラフィックが舞台の真ん中に出てきたのでは主従逆転です。少しぐらい下手なほうが、皆はグラフィックの世界に入っていきやすいと考えて、開き直りましょう。
　話し合いを聞き取ってビジュアルに落としていくスピードには限界があります。話し合いを完璧に写し取ることなどできません。もしできたら、参加者はぐうの音も出なくなってしまうかもしれません。不完全だからこそ、そこをきっかけに参加者の参画が起動する——そんなふうに考えてみてはいかがでしょうか。

第5章

実践編

5

いろんな場面で実際に使ってみよう

いつでもどこでも ファシリテーション・ グラフィック

これまでに説明したテクニックを活かして、いろいろなシーンに応じてどのようにファシリテーション・グラフィックを使えばよいかを見ていきます。

▥活用する機会はいくらでもある！

ファシリテーション・グラフィックの腕前を磨くには、稽古する機会を少しでも多く持つかが鍵です。「いつでもどこでも」ファシリテーション・グラフィックを使おうとする心意気が大事です。

- ・公式な会議（職場に限らず、PTAや自治会の会議でも）
- ・仲間うちでの非公式なミーティング
- ・喫煙所、カフェテリア、喫茶店などで話が盛り上がったとき
- ・本格的なワークショップ
- ・お客さまとの商談や打ち合わせ
- ・研修でのグループ討議／クラス全体討議
- ・自分のノートへの議論メモ
- ・インタビューメモ
- ・読んだ本の内容や自分の考えをまとめるとき　など

最初は少し勇気がいりますが、「よろしければ記録をさせていただきますが

…」「頭の中を整理するために描いてもよいですか」ときっかけをつかみましょう。さりげなく皆に投げかければ、たいていはOKしてくれるはずです。

図 5-1 ｜ さまざまな場でグラフィックを活用する

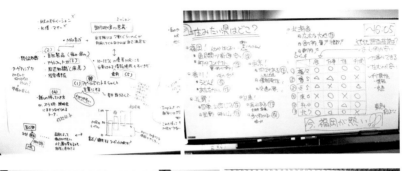

187

定例の話し合いの場で

● 課内会議 ● リスト型 ● ホワイトボード ● 羅列

活用シーン

　定期的に集まる少人数のミーティングです。20〜60分程度の短い話し合いで、話し合う内容もだいたい想定できます。とはいえ、ファシリテーション・グラフィックが無いと、議論がしばしばズレてしまい、何が決まったのかはっきりしないまま、時間が来て終わりということになりがちです。こういうシーンでは、ホワイトボードを使うのが適しています。

描くポイント

□ 議題を最初に描いておく

　皆に議題(論点、討議事項)を再認識してもらうとともに、どれぐらいの分量があるのか認識してもらいます。あわせて、終了予定時刻も記して、時間内に終わらせようという空気を盛り上げます。もちろん、これらは会議通知書で事前に伝えておくのですが、ホワイトボードに明記して、皆で認識を合わせてからスタートすること、いつでも見られることに意味があるのです。

□ リスト型で描いていく

　決まった議題に沿って順に話し合っていくことが多いので、左上から順番に描いていくプランを立てておきます。

□ 基本は意見の羅列である

　まずは出てきた意見を忠実に取り上げて、箇条書きで羅列していけば十分です。手間のかかるイラストを描く必要もありません。

図5-2 | 定例ミーティングでホワイトボードを使う

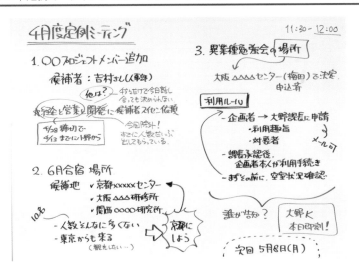

□決定事項を明確にする

　この種のミーティングでは、何が決まったのかをはっきりさせることが極めて重要です。特に、誰が何をいつまでにやるのか、アクションプランをはっきりさせねばなりません。決まったこと／実行することを強調するように描きましょう。

事例を見てみよう

　最初に「1. …」「2. …」「3. …」と議題を書いて、論点をズレにくくし、また、決まらずに流れてしまうことを防ぎます。結論があいまいなまま次の議題に行ってしまいそうだったら「これ、まだ決まっていないですよね?」と注意を喚起するようにします。

　最初に議題を書いても、想定したスペース通りに会議が進まないのではないかと心配になるかもしれません。しかし、そこは「消して描き直せる」ホワイトボード。実際に使ったスペースに応じて、再配置すればよいのです。

　後で蒸し返しにならないよう、重要な点については判断した根拠も書いておきます。そうすれば、たとえば「なぜ今回は開発に依頼を出さないんだ?」

189

と、後でもめたときに理由が分かります。そして最後に、誰が何をいつまでにやるのか、青字と四角の枠囲みを使って際立たせています。

ステップアップのヒント

　この事例のように議題が一つひとつ独立しているなら、比較的簡単に描けます。しかし、現実には、もう少し大きいテーマが設定されていて、一連の流れに沿って議論が進むことも多いでしょう。

　その場合には、話の流れを予測しておくことが役に立ちます。想定される流れに沿って、レイアウトをイメージしておき、ホワイトボードのスペースを割り当てていくのです。

　流れの予測と言っても、それほど大げさな作業ではありません。細かい議論の展開は予想できないので、「現状把握→問題点→解決策」「進捗把握→本質の抽出→対処策」「進捗把握→次の活動項目→役割分担」「アイデア出し→判断基準→打ち手」といった大まかな流れを押さえておけば十分です。いろいろな話し合いの流れの典型パターンを知っておくと便利でしょう。

　また、今この人たちがこのテーマで話し合うと、いかにもこういう意見が出てきそうとか、こういう展開になりそうという当たりをつけておくことも有用です。その意味で、事前の情報収集〜ネタ仕込みは大事です。

図5-3 ｜ 流れを予測して、レイアウトをイメージする

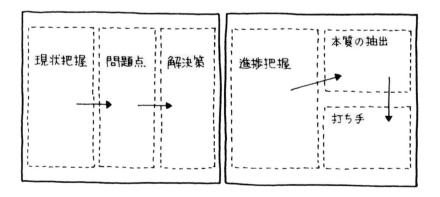

図5-4 │ 描きあがりのイメージを持っておくことも役に立つ

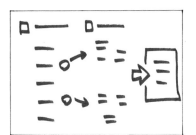
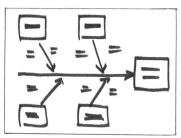

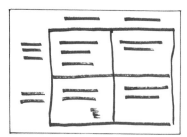

図5-5 │ 全体のレイアウトを意識する

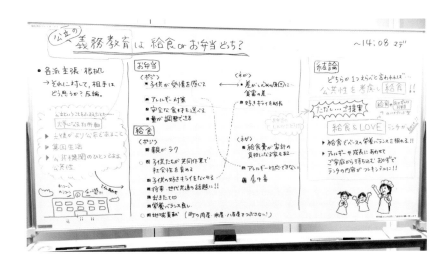

191

実際のケースを見てみよう

　定例会議の進行にともなって、どのようなことを考え、どのような行動を取りながら、ファシリテーション・グラフィックを描いていくのか、映画のコマを送るように見ていこうと思います。

ケースの概要

　今日は、定例の課内会議の日です。いつも課長がファシリテーターとなり、一番若い私がグラフィッカーを担当しています。最初はかなり戸惑いましたが、回数を重ねるうちにまとめ方のコツが少し分かってきました。

会議スタート

ディスカッション	ファシリテーターの頭の中
課長　「みんなそろったところで、課内会議を始めようか。今日は第2週なので、いつものように中間報告をしてもらおう。まずは、各担当からセールス状況の報告をしてもらおうかな」	いつもは、現況報告があって、問題点の抽出があって、最後に対策をみんなで考えるから、この順番で3つのブロックに分けて描いていこう。だから、現況報告は、左3分の1ぐらい使ってよさそうだ。課長は何も言わないけれど、終了予定時刻も目立つように書いておこう（目で確認をとる）。
担当A「では、北大阪ブロックから。この1週間で5億売り上げて、トータル9億までいきました。あと2週間ありますので、目標の14億は堅く、さらに1～2億程度の上乗せを狙っています」	北大阪は、14億のうち9億なので9/14億と書いておこう。最終的に15～16億円ならまずは◯かな。
課長　「お、順調だね。他に報告することは?」	
担当A「できれば、来月は3億くらい上乗せしたいと、いろいろ画策しているところですので、期待しておいてくださいね」	これは今日のテーマと直接は関係がないので、記録をせずに聞き流しておこう。今月の特記事項はないのかな?（「関係ないですよね?」という表情でチラっと見る）
課長　「特に、問題はないんだね?」	

事前準備

　ホワイトボードを利用するのにうってつけの状況です。事前に、会議する部屋にホワイトボードがあること、マーカーのインクが出ることなどを確認しておきます。会議が始まる前後に、ホワイトボードに本日のテーマを描いて、話し合いに備えます。

ファシリテーション・グラフィック

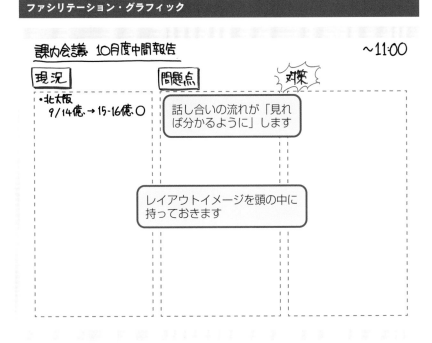

担当A 「そうですね…。強いて言えば、店頭実売数は順調なのですが、ややペースが落ちているのが気になります。他社の新製品の影響なのかもしれませんね」

課長 「どこのが気になっているの?」

担当A 「W社の廉価版です」

課長 「やっぱりそうか。じゃ、次、阪神ブロック行こうか」

（中略）

課長 「よし引き続き頑張ってくれよ。じゃあ、最後は南大阪ブロック」

担当C 「非常に厳しいです。実売が全然いっていません。店頭での指名買いが減ってきたのが最大の原因で、小売店のほうでも売りやすい他社製品をプッシュするようになってしまいました。それでますます下がってしまっています。挙句の果てに店頭在庫がだぶつきだして、在庫調整のため新しい注文が入らないんです」

課長 「厳しいのは分かったから。それで目標の21億のうち、どこまでいったの?」

担当C 「そんな苦しい状況の中、私なりに精一杯頑張っています。訪問数はこれまでと比べて特に減っていませんし、キャンペーンの提案もしているのですが、いまのところまだ8億です。あと半月残っていますが、今の状況では15〜16億円いけばよいほうで、それすら簡単ではありません」

課長 「それはマズイぞ。全部合わせると、47億のうちまだ22億だろ。この分で

（大きくうなずく）ようやく出てきた。後の話に続くかもしれないので、とりあえず要約して箇条書きにしておこう。

（まだ前の部分を描いているのだが、描きながら聴いておく）これも補記しておかねば。

Cさんは、いつも言い訳から入るので、数字の欄を空けておいて、状況説明のポイントを先に箇条書きしておこう。
指名買いの減少と小売店のプッシュが減ったことは悪循環になっているな。それが在庫調整に結びついていると。この構造が大きな問題であり、それが分かるように描いておこう。

能書きはいいから、早く結論を言ってくれないかなあ（ペンを振りかざしたまま、話し手のほうを見る）。

やれやれやっと数字が出てきた。これは大きな問題なので少し強調しておこう（ややオーバーアクションで書く）。

そうすると、トータルで22億/47億で、少なくとも3億、最悪の場合6億も割れるのか?

課内会議 10月度中間報告　　　　　　　～11:00

現況　　　　　問題点　　　　　対策

・北大阪
　9/14億 → 15-16億 ○
　　店頭実売
　　　順調だがやや ペースダウン
W社
廉価版　他社新製品の影響？

ポイントを分かりやすく
まとめていきます

「?」を使って、「影響な
のかもしれない」という
ニュアンスを表現します

・阪神
　5/12億 → 11-12億 △
　　キャンペーンを打たないと売れず
　　売上OKでも 利益が心配

課内会議 10月度中間報告　　　　　　　～11:00

現況　　　　　問題点　　　　　対策

・北大阪
　9/14億 → 15-16億 ○
　　店頭実売
　　　順調だがやや ペースダウン
W社
廉価版　他社新製品の影響？

・阪神
　5/12億 → 11-12億 △
　　キャンペーンを打たないと売れず
　　売上OKでも 利益が心配

・南大阪
　8/21億 → 15-16億 ×
　　実売減（指名買い ）
　　小売店が売りやすい品に注力
　　　在庫調整にからむ

循環構造を視覚的に
表現します

いくと、少なくとも3億、最悪の場合6
億も割ってしまうのか…」

担当A 「計算上はそうなりますね」

課長 「オイオイ、これは許されないぞ。今日
はここから徹底的に話し合おうじゃな
いか」

（中略）

課長 「さっき阪神ブロックはキャンペーンを
しないと伸びないと言っていたよな。逆
に言えば、キャンペーンを打てば伸び
る余地はまだあるということなのか?」

担当B 「他の地域と比べれば、そうかもしれま
せん。ただ、かなり前倒しで販促費を
使ってしまって、残りがあまり…」

課長 「だったら、北大阪の分を回せばいいじ
ゃないか。このペースだとまだ余裕が
あるはずだぞ。ここは正念場なので、
みんなで協力し合って、目標を達成し
ようじゃないか。それでどれくらいい
けるか、すぐに検討をして報告するよ
うに」
私 「課長。すぐに、というのは?」
課長 「そうだな、今週中に報告してくれ」

（中略）

課長 「それと、もうひとつ、今日の報告の中
で気になることがあるんだよ。顧客が
ウチの製品から離れていっているよう
な気がするんだが、その点について、
みんなどう思う?　全国的にそうなの
かな?」

担当A 「そもそも商品力が下がってきているか
らじゃないですか。商品開発部は顧客
のニーズが全然分かっていないんだか

これも重要なポイントなので、目立つようにし
ておこう。

さあ、次は問題点の議論で、1つ目の議題は今
月の売上目標をどうやって達成するかだ。今日
のメインテーマとして大きく書いておこう。

なるほど…。要するに、課長は伸ばせるところ
を伸ばそうという腹だな。あと半月しかないか
ら即効性を重要視する、と。ここは課の方針と
して見逃せないところだ。
「即効性」という言葉は使っていないが、ピッ
タリした表現なので、これを使って要約してお
こう。

よし、ひとつの対策が決まった。誰がいつまで
に何をするかを、具体的に行動として書かない
とウヤムヤになってしまう。課長が「すぐに」
と言っているのは、この勢いだと相当急ぐと考
えるべきだろうが…ここはちゃんと確認したほ
うがいいな。

これも今日の重要な論点だな。もうあまり時間
がないので、今日の最後のテーマとしてここに
書いておこう。残りのスペースはすべてこの問
題に使うことにしよう。

重要な指摘だが少し話を広げすぎだろう。これ
はパーキングロット行きだな（位置を指し示し
て「ここに書きましたから」と目で合図する）。

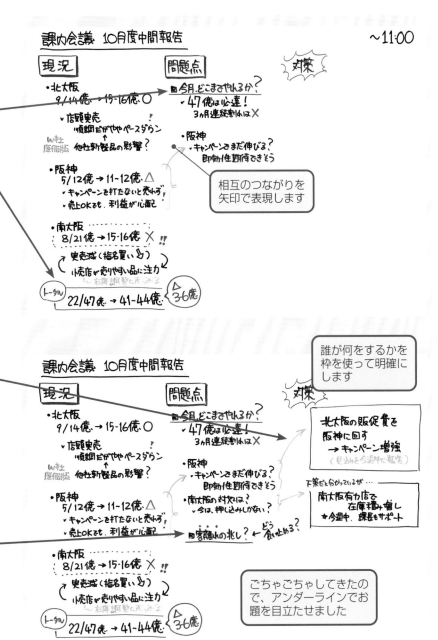

197

ら」

担当C 「そういえば、この間、東京の担当も同
じようなことを言っていましたよ。こ
こは価格の見直しを含めて、何か手を
打たないといけないんじゃないでしょ
うか」

課長 「値段を下げれば済む問題なのかい?
かえって安物のイメージを与えてしま
い、余計に売れなくならないか?」

担当A 「だったら、交通広告を思い切って打っ
てみるのはどうでしょうか。これなら
大阪営業所の判断だけで動けますから」

(中略)

課長 「あまりに情報が少なく、思いつきばか
りで、これでは議論にならないな。よし、
分かった。マーケ本部に我々の懸念を
伝えて全国的な調査をしてもらうよう
お願いしてみるよ。ただ、それには時間
がかかると思う。皆も自分のエリアで情
報を集めてみてくれないか。それを持
って、もう一度木曜日の課内会議でブ
レストをするというので、どうだい?」

一同 「分かりました」

真意がよくわからないし、思いつきを述べてい
るだけで、わざわざ書く必要がないかな。こん
な散漫な議論で、結論が出るのだろうか。議論
の筋道がよく分からないので、書きようがない
な(手を止めて、じっと議論に聴き入る)。

ただ、せっかくみんな考えてくれるので、意見
を受け止めたということで、とりあえず簡単に
箇条書きにしておこうか。後で何かのヒントに
なるかもしれないし、議論の経過も分かるので
(と、皆の意見を思い出しながら、書き始める)。

やっぱり、そうだよな。こんな状態では、有効
な対策なんて考えられないよ(うなずく)。だ
ったら、次に向けてのアクションプランだけは、
キッチリ皆に分かるように書いておこう。曖昧
な部分は、こちらで適当に補って、と。

(全体を遠目で眺めて)さあ、これでできあが
ったので、スマホで撮影して、皆が忘れないう
ちにメールで流すとしよう。

フィニッシュ

ケースのまとめ

　ホワイトボードを使い、出てきた意見を順番に描いていく、議事録型のフ
ァシリテーション・グラフィックの基本です。このケースでつかんでほしい
ポイントに次のようなものがあります。

　・はじめにレイアウトを構想する

　・記録内容を適切に取捨選択する

　・発言をコンパクトにまとめる

　・結論(合意点)は具体的に書く

　・要所を強調するための工夫をする

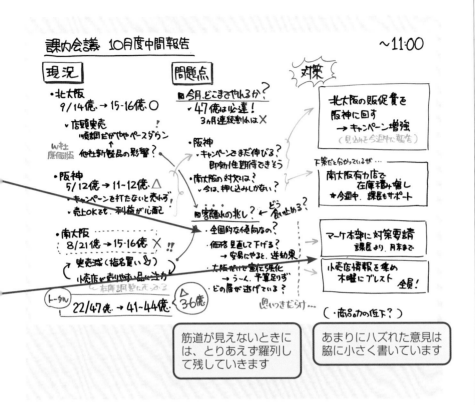

筋道が見えないときには、とりあえず羅列して残していきます

あまりにハズれた意見は脇に小さく書いています

ホワイトボードは書いて消せるという気楽さもあり、どんどん記録していくようにします。そうしながらも、常に「何を描くべきか」記録内容の取捨選択に腐心している様子に注目してください。大事な発言は後から思い出して書いたりもしています。

また、羅列して描いていくと、どこが大事な点か、どれとどれが関連しているのかが分かりにくくなりがちですが、囲み図形、矢印、アンダーライン、色替えなどを使って、必要な箇所を上手に強調しています。

これ以外にも、論点からズレた意見を脇に描き留めておく「パーキングロット」や、スマホで撮影してメールで迅速に議事録を送る、という小技も登場しています。

チームの意思決定と
問題解決の場で
● オンライン

活用シーン

　次は、ある部署で問題が発生し、皆でそれに対する打ち手を考えねばならない場面を考えてみましょう。しかも、メンバーが離れた場所にいて、すぐに集まるのが難しく、オンラインでやらねばならないケースです。

描くポイント

□協力者を見つける

　オンラインで、ファシリテーターとグラフィッカーの両方を一人で担うのは普通の人には無理です。自分がグラフィッカーを務めるのであれば、ファシリテーターを他の人にお願いしておきます。

□事前の準備はリアルより気合を入れて

　グラフィッカーの役割に専念しても、オンラインでのグラフィックはなにかとモタモタするものです。アプリの選択、ファイルの置き場所、大画面のディスプレイの準備など、自分のやりやすい環境をしっかり整えましょう。

□論点と流れを事前に描いておく

　これは前の事例と同じポイントです。ただ、オンラインのときには、話の流れを皆がなんとなくその場の雰囲気で察するのが難しくなります。リアルのときよりさらに念を入れて、流れが「見れば分かるように」描いておきます。

□とりあえずどんどん記録していく

　消したり、再配置したりがホワイトボードよりさらに柔軟にできるのがア

プリの特長です。字の上手い下手も気にする必要がありません。とにかく、鬼字で正確にタイプ・変換しながら、どんどん意見を記録していきます。

　このとき、テキストボックス内で改行するのではなく、ひとつの意見ごとにボックスをコピペして描いていくのが、後々の編集をしやすくする鉄則です。追いつかなくなったら、参加者に「チャットに今の意見を打ち込んでもらえますか？」とお願いし、それをコピペするという方法も採れます。

□図形も活用する

　文字を打ち込むのに慣れて余裕が出てきたら、文字の色や大きさを変える、枠で囲う、矢印を描いてみる、イラストを貼るなどすると、重要な部分が強調できます。リアルのグラフィックと遜色のないものになっていきます。

事例を見てみよう

　「オフィスをフリーアドレスにせよ」と指示されたものの、工夫もなくそうしたのではオフィスの魅力が薄れ、ますます皆が出社しなくなることが危惧されます。オフィス空間そのものを一から見直そうと話し合った事例です。

　まず、左上に「前提」と書いて、その確認から始めました。次にオフィスのどのエリアの話をしているのかを明確にするため、レイアウト図をコピペして参照しながら議論をしています。また、前もってオフィス関連の画像素材を探してデスクトップに置いておき、ふさわしい箇所にペーストしています。リアルのホワイトボードではなかなかできない工夫と言えます。

ステップアップ

　資料を元に議論をするときには、その資料をコピーし、図としてアプリの上にペーストすると便利です。画面の一部を切り取るスクリーンショットのやり方（WindowsマシンならばWindows+Shift+S）を覚えておくとよいです。

　また、クロスチャートのように表を用いて議論したいときには、表を挿入するようにします。慣れれば、ホワイトボード上に手で描くよりも速く、綺麗な表が描けるはずです。

　ところで、オンラインのグラフィックは、常に画面共有しっぱなしが得策とは限りません。お互いに顔を見合って話し合うことを優先したい場面では、

グラフィックをあえて画面共有しないのも一法です。

図 5-6 | オンライン会議でグラフィック

● PowerPoint

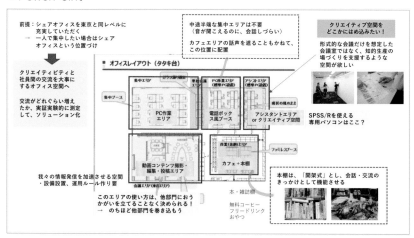

● Miro

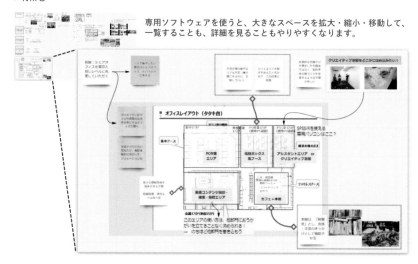

202

自由奔放にアイデアを出し合う場で
- 企画会議　● 付箋　● マンダラ型

活用シーン

　たとえば新商品のアイデアを出す会議をイメージしてください。このような会議では、限られた時間にいかに大量のアイデアを出すかが成果を生み出す鍵になります。アイデアの量がアイデアの質を生むのです。

　こういうシーンでは、多くのアイデアを短時間に連鎖的に出せる付箋が適しています。付箋を使えば、短時間で多くのアイデアを公平に扱え、アイデア豊富な人が話し合いを独占してしまったり（言い換えると、アイデア豊富な人に他のメンバーが任せてしまったり）、評論家タイプの人がことあるごとにケチをつけたり、といった状況にならずに済みます。

描くポイント

□ 付箋を使う基本作法を守る

　付箋を使ってアイデアを出すにはいくつかの作法があります。まずは、基本となる作業手順を覚えてください。

　　①ウォーミングアップ：テーマを確認し、レベル合わせをする
　　②個人作業：各人が意見やアイデアを付箋に書き出す
　　③アイデア発表：付箋を提示して、アイデアを軽く説明する
　　④アイデア集約：親和図法を用いてグループ化する

□ テーマを明示してレベルを合わせる

　まずテーマを前に書いてメンバーに徹底します。たとえば「長い会議が終

わった後の疲れを癒すには？」などと問いの形で書くのが分かりやすいです。ひとたび各人が付箋にアイデアを書き始めると、テーマの認識がズレていても修正しにくくなるので、最初によく念押しをしておきましょう。

　さらに、アイデアの元となる知識や情報をインプットしたり、テーマに関して軽くメンバー間で意見交換をします。各人でアイデアを考える前に、多様な観点があることを認識するようにするのです。

□書いては公開する

　書いた付箋は、手元に隠しておかず、どんどん前に貼り出したり机に並べて「公開」していくようにするとよいです。他の人が、それに触発されて自分のアイデアを発展させられるからです。積極的に他の人のアイデアを盗み見に行くことも勧めてください。

　意見発表のときは、1人が1枚だけ読み上げれば、次は別の人がまた1枚だけ読み上げる、というように順繰りにアイデアを披露するのがコツです。最初に饒舌な人が一気にアイデアを披露すると、後に続く人は「私の考えた意見はすでに出たから、もういいです」と引いてしまいかねないからです。

□触発されて出たアイデアを拾う

　誰かがアイデアを発表すると、それに触発されて「あ、それなら○○という考えもあるよね」という発言が出ることがあります。これこそが貴重な宝です。消えてなくならないよう、ファシリテーターが拾い上げるようにしてください。自分も付箋を持っておいて、アイデアがメンバーの口をついて出てくるたびに、それを書き留めて追加していきます。

□グループ化してタイトルをつける

　アイデアを1つ発表するたびに、似たようなアイデアを近くに寄せていきます。まったく同じアイデアが書かれた付箋は、重ねて1つにしてしまいましょう。そして、似たようなアイデアごとにグループをつくり、タイトルをつけていきます。

事例を見てみよう

　「ファシリテーター向けグッズを開発する」にあたって「ファシリテーターの悩み」を考えた事例です。1人ひとりでアイデアを考えて付箋に書いた後、

模造紙の周りに集まって順番に意見を出しました。まとめていくと、メンバーが「この塊は、私の気持ちも分かってほしい、ってことだよね」などと口走るので、ファシリテーターが拾ってタイトルにしていきました。

図 5-7 | 付箋を駆使してアイデアを出し合う

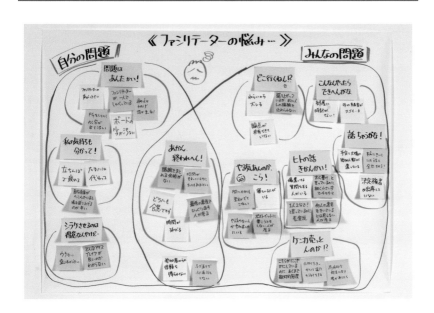

ステップアップのヒント

□ 目標を示して皆を鼓舞する

大量のアイデアを出さねばならない（アイデアの量を稼ぎたい）ときには「〇分間で〇個」という目標を皆に提示するようにしましょう。具体的な数値目標があれば、アイデアの数は確実に増えます。

□ 付箋を整理した後こそが勝負

付箋を使ってアイデアを整理すると、とても達成感があります。ところが案外、普段から言っている内容を整理しただけになっていることも多いのです。整理したものを踏み台にして、さらに深い議論をして、問題の本質をつ

205

かみとって、言語化してください。

□ちょっと変わった付箋の使い方

　付箋は普段の会議でも役立ちます。付箋がなければ、A4用紙を使えばよく、付箋よりたくさん書けるのが特長です。さらに、チャート、地図・図面、ホワイトボードなどの上に付箋を貼っていくというやり方も使ってみましょう。

図5-8 │ A4用紙を使ったり、地図と組み合わせたり

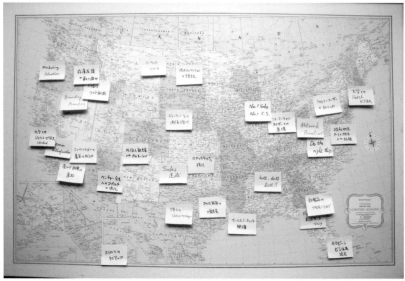

自由に意見を述べ合う
ワークショップで

●ワークショップ ●マンダラ型 ●模造紙

活用シーン

今度は、少し漠然としたテーマでじっくりと語り合うワークショップを想定します。ホワイトボードではなく模造紙が大量に使える場合を考えます。

描くポイント

□大面積が取れるよう「紙」を使う

このようなシーンでは、たくさん意見が出てくるので、それを積極的に受け入れる雰囲気をつくるよう最大限の努力をする必要があります。だからこそ、紙を使うのです。たとえ大型のホワイトボードであっても、描ける面積には限界があり、いくらでも広げられる紙にはかないません。

「できあがったものを全部貼って皆で眺める」というダイナミックな動きを出せるのは、紙ならではです。ホワイトボードの記録をコピーして配布するという方法もありますが、皆で作業しているという一体感は得られません。

□全員にグラフィックが見えるようにする

紙は多めに貼って準備しておき、皆が模造紙を見ることができる座席の配置を考えます。大きめの字で描くことも、全員にグラフィックを見てもらうためには欠かせません。

□マンダラ型で描いていく

どのような意見が出てくるか想像もつかないので、意見を出てきた順番に並べていくリスト型よりも、四方八方に描き散らしていくマンダラ型のほう

が適しています。タイトルを紙の真ん中にドカンと描いて、その周りに意見を記録していきます。

□**その場でグループ化していく**

　違う観点の意見が出てきたら、それまでの意見とは思い切って離して記録していきます。逆に、すでに出た意見と類似の意見が後から出てきた場合には、それらの意見を近寄せて記録します。こうすれば、おのずと構造化ができてしまいます。そのために、ファシリテーターは意見の抽象的な意味合いが切り替わったかどうかに全神経を集中させます。

　こういった作業をするには、最初にレイアウトをイメージしておくのが重要になってきます。マンダラ型では4分割／6分割／9分割のレイアウトイメージが標準となります。こうしておけば、どの程度離して描くかの目安も決まってきます。ただし、予想外の展開もあるので、全般的にゆったり紙面を使うのがコツです。第3章で述べたような余白の使い方も意識しましょう。

図5-9 ｜ マンダラ型向けのレイアウトイメージ

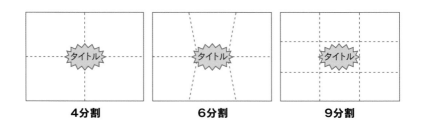

事例を見てみよう

　全国各地の所長が集まって「所長の役割とは何なのか?」を考えるワークショップの事例の一部です。最初に、各人が思うところを自由に語る時間を2時間くらい設けました。壁に模造紙を貼り、その周りに皆で椅子を扇形に寄せ合って、好き放題に語り合います。

　ファシリテーターが9分割ぐらいをイメージして紙面を使っているのを感

図 5-10 | 模造紙にマンダラ型でのびのび描こう

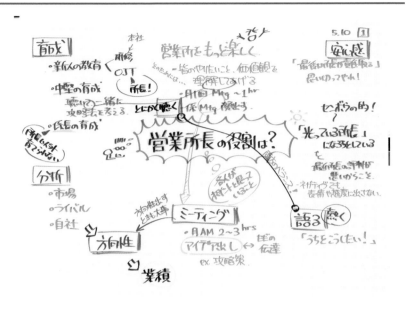

図 5-11 | たっぷり貼って描く

じ取ってください。また、似たような意見を近くに置き、それぞれにタイトルをつけて、それを影付きの四角で枠囲みして強調しています。

この事例では模造紙1枚分だけを大きく写して載せていますが、2時間程度の会議の場合、3〜5枚を最初から貼っておかないとスペースが足りなくなります。その上で、思い切って大きなマンダラを描いていきましょう。メンバーの考えていることがどんどん形として定着していき、いつしか巨大な会議空間ができあがります。

ステップアップのヒント

□にぎやかで楽しい雰囲気を演出する

ファシリテーション・グラフィックは、その場の雰囲気にかなり大きな影響を与えます。ワークショップを華やかにしたかったら、カラフルな色はもちろん、ポップな囲み図形やイラストを多めに使ってみましょう。

図5-12 | ポップなグラフィックが話し合いを華やかにする

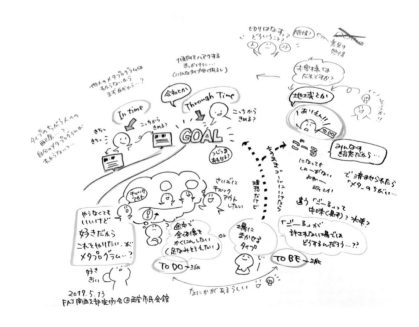

図5-12は、ビジュアルの要素を大幅に増やしたグラフィック・レコーディングの事例です。勉強会の企画チームの中でメタプログラムという言葉を巡って、どうもみんなの解釈が違うようなので意識合わせを試みたミーティングの事例です。文字だけより、ずっと楽しくなりそうではありませんか。

□ **メンバーにも描いてもらおう**

繰り返しになりますが、必ずしもファシリテーター1人がすべてを描く必要はありません。メンバーにも描いてもらえば、議論への参加を促進するだけではなく、時間の節約にもなります。意見をアピールしたそうな人、思う通りに描き留めてもらえなくてイライラしている人、自分でまとめたがっている人を見つけて、「描いてもいいですよ」とペンを渡してみましょう。

全員にお願いしたいときは、付箋やA4の紙を配ります。グループに分けて、議論の結果を模造紙にまとめてもらって集約する方法も広く用いられています。備品に余裕があれば、ホワイトボードやフリップチャート用の台をたくさん揃えておいて、メンバー各人に渡して自分の考えを描いてもらうと、参加意識がグッと高まります。

図 5-13 | メンバー自身に描いてもらうのもいい

実際のケースを見てみよう

　ここでは、話の展開が予想できない話し合いの初期段階で、どのようなことを考えながらファシリテーション・グラフィックを描いているのかを解剖します。

ケースの概要

　1泊2日の合宿ワークショップに来ています。「営業所長の役割」をテーマに、所長さんたちに大いに語り合ってもらおうという企画です。私は、ファシリテーターを補佐するグラフィッカーを務めることになりました。自己紹介を終え、皆の認識を共有する最初のセッションがスタートします。

会議スタート

ディスカッション	ファシリテーターの頭の中
ファシリテーター 　「では、最初に営業所長の果たす役割について、1人ひとりが思うところを話していきましょう。皆さんが普段業務をされている中で、『これがポイントだ』と思っていることを語ってください。誰からいきましょう。じゃ、Kさんどうぞ」 K所長「はい。そうですね、最近所長の評判、悪いんですよね。係長から見ると『あんな所長ならいないほうがいい』ってな感じで。皆さんも会社全体を見て、そういう空気を感じませんか。でね、僕は、だからこそみんなの羨望の的になるような存在にならなきゃいけないと思うんです。『光っている所長』とでも言いましょうか、そういうふうになろうと努めています」 ファシリテーター「具体的には?」 K所長「自分がネガティブ気分のときにも、そ	タイトルの言い換えだ。変化をつけて目立たせるために、吹き出しにして、斜めに描くことにしよう。レイアウトは9分割ぐらいのイメージかな。 おやおや、いきなり愚痴から始まっちゃったよ（手を動かさず、タイトルを見つめて、テーマは別のところにあるという意思表示をする）。やっとテーマに沿った意見が出てきた。よしまずは右側から埋めていこう（少し大げさに書き始める）。羨望が書けないな…ええい、カタカナだ!「光っている所長」は響く言葉だな。さっきの愚痴も少しだけ描いておいたほうが良さそうだ。

事前準備

　ワークショップの開催に先立って、戦略立案、人材育成、会議、管理業務・報告業務、モチベーション向上、クレーム・トラブル対応ぐらいの話が出るのではないか、と見通しを立てておきます。

　展開が予想できないだけに、模造紙をどんどん貼って使うのが適しています。とりあえず、模造紙を横にして4枚ほど貼ります。その上で、各自が自由に意見を披露するわけですから、マンダラ型で描こうと決めます。

　タイトルを真ん中に書きます。縁取り文字でも使ってみましょう。目立つように紫色で文字を書き、ピンク色で枠を引きます。紫とピンクの取り合わせは映えます。簡単なイラストを描き添え、日付と番号を打ちます。

ファシリテーション・グラフィック

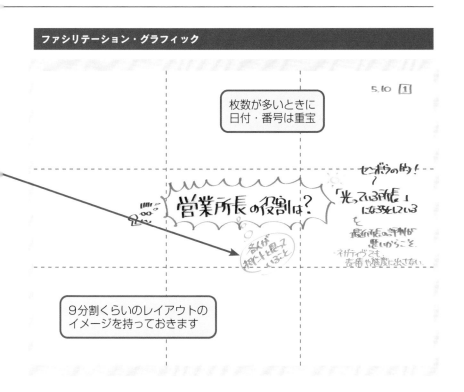

枚数が多いときに
日付・番号は重宝

9分割くらいのレイアウトの
イメージを持っておきます

の気持ちが表情や態度に出ないように
していますね」

K所長「それから次は、分析ですね。業績出さ
ないとダメですから、所長は」

ファシリテーター
「あのぉ、何の分析でしょうか?」

K所長「営業所のエリアの市場を分析する必要
があります。それとライバルがどんなこ
とをやっているか、知らなきゃいけない
ですよね」

J所長「それだったら、うちの会社の中で自分
の営業所がどうなのか知っておく必要
もあるよね。会社全体で見れば○○○は
絶好調なのに、自分の営業所はなぜか売
行きが悪い、といったことね」

K所長「そうそう。そういったことを踏まえて、
営業所の方向性を出していきますよね。
この方向性の良し悪しが、最終的に業績
につながっていくわけです」

ファシリテーター
「となると、分析とそれを基にした方向
性の打ち出し、その2つが大事ってこと
ですかね。んじゃ、次はJ所長、いかが
ですか」

J所長「うちはとにかく営業所をもっと楽しく
したいね。ただ、俺の思い込みで楽し
くしたつもりでもダメでしょ? だから、
みんながどんなことをやりたいのか、ど
んな価値観を持っているのか、理解する
のが大事だね」

ファシリテーター
「具体的にどうやって理解を深めるんで
すか?」

J所長「月に1回はミーティングを、長めにす

これは補足で描いておこう。

「次は」──話が変わった。これは全然違うと
ころに描こう。あれ、それで終わり? 何の分
析なの? (首をかしげて困ったポーズ)

そうそう、それを聞かなくちゃ(うなずく)。

市場とライバル、だな。

あ、結局、市場、競合、自社という枠組みに落
ち着いた。見やすく行頭記号を打っておこう。

分析→方向性→業績の因果関係を矢印でつない
でおこう。ただ、業績は、諸活動の最終的な結
果だから、色を変えて描こう。重い黒にしてや
れ。

うまくまとめてくれたぞ(ファシリテーターに
チラと視線を投げて同意のサインを送る)。では、
方向性のほうもキーワードとして枠で囲む、と。

また新しい観点が出てきた。どこに描こうかな
あ。バランスを考えて上の真ん中にしておこう。

ふむふむ、理解することが大事だと。「そのた
めには」と付記しておくほうが親切かな。

具体例を描く心の準備をしておかねば。

ちょっと色を変えて描いておこう。略号を使っ

214

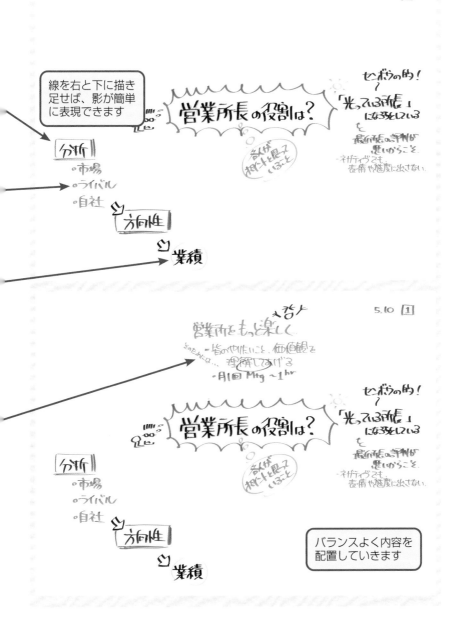

線を右と下に描き
足せば、影が簡単
に表現できます

バランスよく内容を
配置していきます

るんだ。1時間以上だね」

J所長「テーマを決めずに自由に話すんだよ。
　　　　その中から、みんながやりたがっている
　　　　ことや思いを感じ取っていくんだ。あと
　　　　は係単位のミーティングにときおり顔
　　　　を出しているよ」

（中略）

L所長「…新人の育成のほかに、所長は中堅の
　　　　育成もしなければならないですね。彼ら
　　　　は彼らなりに仕事上で悩んでいたりしま
　　　　すから。その意味では、本人の話を聴い
　　　　て、一緒に攻略法を考えてあげることが
　　　　一番の育成なんだと思います。先ほどJ
　　　　さんが仰っていたこととともつながります」

J所長「そうそう、話を聴くというのがポイン
　　　　トだと思うな。「とにかく聴く」という
　　　　かさ」
　　　（一同大きくうなずく）
M所長「そうそう、それが基本だよ」

（中略）

M所長「育成の話やけどね、新人も大事なのは
　　　　分かるし、実際にやっているけど、係長
　　　　も大事なんじゃないのかな。係長育てら
　　　　れるのはうちらしかおらんし。係長と新
　　　　人がなるべく一緒にいる時間を持つよ
　　　　うに指導する、とかね」

K所長「私はミーティングを大事にしているん
　　　　ですよ。月曜の午前中に2〜3時間取
　　　　ります。そこで、報告事項は最小限にし
　　　　ておいて、皆でアイデア出しするんです」

N所長「アイデア出しって何？」

K所長「なかなか落ちない苦しいお客さんって

て。

（描きながら考える）ま、ここまでは細かすぎ
るので描かなくてもいいかな。手も追いつけな
いし。
これは別の話だし、記録しておこう。

新人のほかに中堅も。行頭記号を打っても見
にくいから、アンダーラインを引いておいたほ
うがいいな。

とにかくこのあたりは育成関連の話題だから
「育成」とタイトルをつけておこう。

なるほど、確かにつながるな。線でつないでお
こう。

（一緒にうなずく）みんなの納得感が高い！
これはポイントとして、少し強調して描いてお
こう。

おお、いきなり育成の話に戻った！　さっき描
いていたところに戻ろう（大げさに立っている
場所を移動する）。
新人、中堅、の次に、係長と描けばいいな。
所長ならではという観点も強調しよう。

ミーティングというキーワードはさっきも登場
していたな。タイトルに格上げして描いておこ
うかな。
残念ながら、近くには描けないので、下に描い
て、中抜き矢印で関連を表しておこう。
アイデア出し、に反応した人がいる…結構大事
なキーワードか？（と思いつつ、しばらく様子
見）

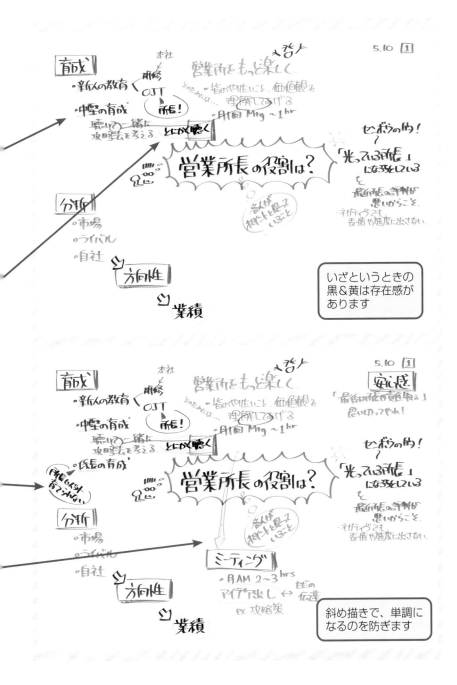

いざというときの
黒&黄は存在感が
あります

斜め描きで、単調に
なるのを防ぎます

217

あるでしょ？　そういうとこをどうやっ
て攻めるか皆で考えるんです」

N所長「すごい、そんなことやってるんだ。時
　　　間かかるし、誰も文句言わない?」

K所長「いや、文句は出ないです」

N所長「それはいいかもしれない…うちは伝達
　　　ばかりやってたよ」

M所長「ミーティングは、営業所の方向性を出
　　　すときも大事だよね」

J所長「こうやって見てみると、みんな結構や
　　　ることやってるんだな」

ファシリテーター
　　　「他にもあるでしょ？　もっとどんどん
　　　行きましょう」

私　　「あの…『語る』ってのはないんですか?」

J所長「いや、こちらからも語ってるよ。ちゃ
　　　んと『うちの営業所をこうしたい』って
　　　熱く語らないとダメ。聴くと語るの両方
　　　のバランスが大切だな」

どうやら描き留めておいたほうがよさそうだな。
さっきK所長が言ってた例も書き添えておこう。

特に、伝達との対比で示しておくと、分かりや
すいよね。「ただの伝達」としておくと皆の意
図がよりよく表現できそうだ。
これは矢印でつないで。

（ほっと一息ついて全体を眺め直して）「聴く」
があるなら「語る」もありそうなもんだが…

皆に尋ねてやれ！（振り返って問いかける）

描く場所がない。右下に描いて、線でつなごう。
「両方のバランス」というのは線の上に描いて
おいてやれ。線がどうも目立たないな…黄色中
塗りしたらどうだろう。
さ、そろそろ2枚目に行こうかな。

▌フィニッシュ

まとめ

　意見を四方八方に散らしながら描いていく、マンダラ型のファシリテーシ
ョン・グラフィックの典型です。どのように話が進むか分からないので、は
じめはひたすら描くしかありません。議論に追いついていくためには、

　　・日頃からマジックで練習しておいて、丁寧かつ速く描く
　　・手で前の部分を描きながらも、耳は討議のほうに傾ける
　　・描き切れない場合でも、耳を傾けてできるだけ記憶する

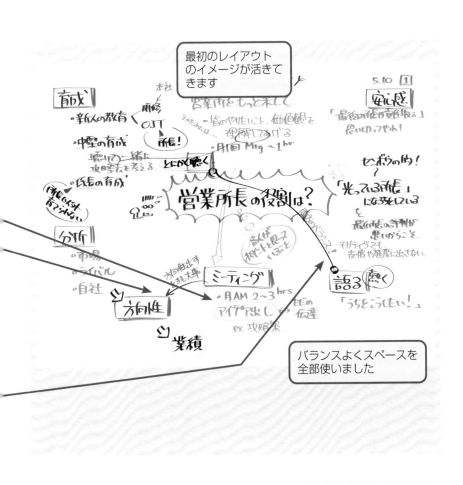

　という技術が必要になります。その一方で、ひたすら描きつつも、意見が出てくるたびに、

　　・先ほどまでの意見と観点・カテゴリーは同じか、変わっているのか

　　・ひとつの具体的事例なのか、それとも一般論なのか

　　・一言で言うと／まとめると、どういうことなのか

　　・近い意見はなかったか

　というように常に思考回路を回し続けます。そのためには、ある程度は記録できない発言が出てきてしまうのも仕方なし、という「割り切り」も必要となります。

思いや問題意識を
すりあわせる場で

● 合宿　● リスト型＋マンダラ型
● ホワイトボード　● 羅列／グループ化

活用シーン

　今度は、ある程度じっくり時間をかけて、問題点を洗い出したり、構想を練ったりするミーティングです。こういう場では、自由に意見を述べ合いながら、参加メンバーの考え方のベースを合わせるステップが必ず登場します。

　自由な話し合いですから、ファシリテーション・グラフィックを使わなくてもよいようなものですが、ポイントをついたよい意見がたくさん出てきても、記録として残らなくなってしまいます。皆の共通の思いも確認できず、好き勝手に語ってガス抜きをして終わり、ということになりかねません。

　こういうシーンでは、実に多種多様な意見が出てくるので、スペースがたっぷり取れる大きめのホワイトボードか模造紙が適しています。ここではビジネスシーンを想定して、ホワイトボードを利用した事例を見てみます。

描くポイント

□ 出てきた意見をとにかくどんどん描き留める

　ホワイトボードの良さは消して描き直せるところにあり、「悩んだら、とりあえず描き留めておく」というスタンスで臨みましょう。出だしは単なる羅列でよく、議論が進むにつれてそれぞれの意見の位置づけが見えてきたら、瑣末なものは消して、新たなスペースをつくり出します。

□ なるべく文章で記録する

　発言に手が追いつかないときは仕方ないですが、なるべく発言者の言葉を

活かして、文章で記録するようにします。

　たとえば「課長の中には、部長のメッセンジャーに過ぎない人も多いですよね」という発言があったとします。これは、「部長のメッセンジャーのような課長がいる」「課長の多くは部長のメッセンジャー（だ）」といった具合に記録します。これを、「課長マネジメント」「課長の資質」「課長の伝達方法」と体言止めで記録すると、発言の主旨が汲み取れなくなってしまいます。

□描き直してグループ化していく

　前の事例と同じく、違う観点の意見が出てきたら離れたところに記録し、すでに出た意見と類似の意見が出てきたら近づけて記録します。とはいえ、その場でこれをやるのは大変です。議論が進んではじめて「この意見とあの意見は同じことを言っていたんだ」と理解できることも少なくありません。

　そこで消して描き直せるホワイトボードの利点が活きてきます。とにかく描き留めておき、あとで似たような意見を消して、場所を変えて描き直すというやり方でグループ化すればよいのです。話が脱線したり、すでに話した内容を繰り返したりしている合間にやれば進行の妨げにもなりません。

□タイトルをつけると議論が見えやすくなる

　グループ化できたものにはタイトルをつけていきます。「このグループは、結局何についての話だろうか？」と問いかけ、タイトルを探します。思いつかなければ、区切りのよいところでメンバーに尋ねるという方法もあります。よいタイトルがつけば、何について議論しているのかが見えやすくなります。

事例を見てみよう

　図5-14は、自分たちの組織で何が問題なのか、メンバーに自由に語ってもらったケースです。消して描き直すというやり方で、いくつかのグループをつくり、タイトルを丸で囲んで分かりやすくしています。

　こうやって眼の前でファシリテーション・グラフィックにまとめていけば、自分たちが今何を議論しているか、ここまでで何を議論してきたか、をはっきり認識できます。いろいろ言っても皆がほぼ同じ認識を持っていると実感でき、メンバーの一体感が強まります。社内政治しか考えていないことなどが見え、誰かが「そういえば、お客さんの話が全然出てこないな…」とつぶや

221

いて、そこから前向きの議論に発展することもあります。

　この事例では、みんなの思いを徹底的に言葉にすることにこだわったため、文字ばかりになっています。それでは味気ないと感じるなら、アイコン、吹き出し、表情などを使ってグラフィック化すれば、アピール力が高まるとともに、その場の空気を表現することができます。

図5-14 ｜ どんどん描いて、消して描き直せるホワイトボード

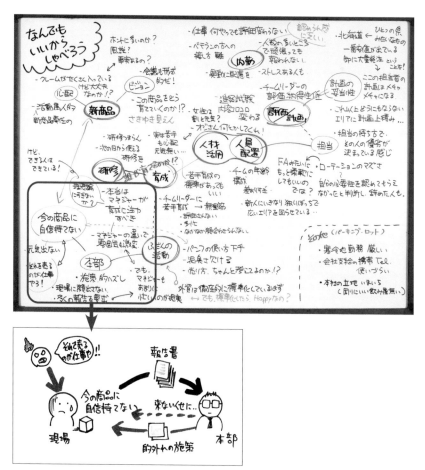

絵を使って表すこともできる

ちょっとした
打合せの場で
●商談 ●図解型 ●ノート

活用シーン

　今度は、意見調整や根回し、あるいはお客さまとの短い商談の場など、日常的なちょっとした話し合いの場に焦点を当てましょう。

　そういうとき、お互いに自分の手帳にコソコソとメモを取ったりしていませんか。そのせいで、あとになって理解がズレているのが発覚したり、言った／言わないの論争になったりしていませんか。

　一方、気合を入れて商談や打ち合わせに臨んだものの、通されたのは豪華な応接室。ホワイトボードがあるはずもなく、途方に暮れることもあります。こういうときには、目の前にノートや紙を広げることが出発点になります。

描くポイント

□粗く描けばよいと割り切る

　こういう状況では、話すほうが主であり、描くのは共通理解を深めるための補助手段に過ぎません。描くのに一所懸命になってしまって、会話が途切れるのも考えものです。粗く描ければよいと割り切りましょう。

□色を使い分ける

　余裕があれば、1色ではなく、黒、青、赤のボールペンを用意して、色で重要な部分を強調できるようにしましょう。さらにサインペンやピンクと黄の蛍光ペンを持っておくと、枠で囲んだり、下線を引いたり、矢印を描いたりするときにメリハリがついて、ずっと見やすくなるはずです。

□描いているところを相手に見せる

　自分の手前に隠すようにして置くのではなく（手帳だとこうなりがちです）、正々堂々と広げて、描いているところを相手にも見せます。「何をコソコソ描いているのだろう？」という警戒心を相手に抱かせないようにするのです。

　そうしていると、「いや、そこはそうじゃないんだ」とポイントや言葉を教えてくれたり、「ちょっと描いてもいい？」という話になったりします。記録が正確になるだけでなく、相手と親密になり、協働作業している雰囲気をつくるのにも役立ちます。

□自分の得意のチャートを繰り出す

　粗く描きながらもポイントを押さえたいときには、やはりチャートを使います。特に表に代表されるマトリクス型のチャートは、メリット・デメリットの比較や役割分担などをまとめるのにとても便利です。日頃から使い慣れておいて、いざというときに繰り出せるようにしておきましょう。

図 5-15 ｜ ノートに描いて、共通理解を深める

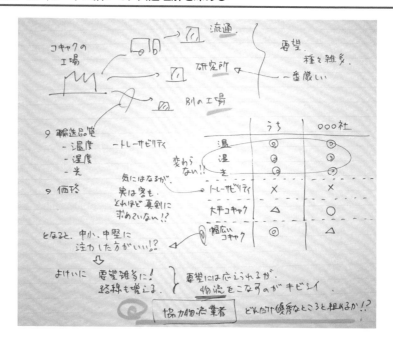

事例を見てみよう

　同僚と休憩しているとき、とりとめもない話から自社／他社サービスの比較へ移っていき、最終的に一番留意すべき点が確認できた事例です。キーワードを主体にして粗く描き、重要な箇所をTチャートで整理しています。

　この事例では、持っていたノートを広げ、グラフィックを目の前で描いて、それをお互いに見合って議論しているうちに「いやぁ、結局〇〇〇が一番大事ってことなんだね。こうやってリストにしてみると、他の項目の優先順位は低いな」という見解にまとまっていきました。視覚情報を接点として、お互いの共通理解が深まることこそファシリテーション・グラフィックの真骨頂です。

ステップアップのヒント

□アイコンタクトを取ろう

　コミュニケーションの基本要素の一つは、互いの視線を合わせるアイコンタクトです。ついつい手元のノートばかり見てしまいがちですが、相手と適度にアイコンタクトを取るようにしましょう。

□座る位置を工夫しよう

　真向かいに座ると、相手は反対方向からノートを見ることになり、見づら

図 5-16 ｜ 斜め横に座ると議論しやすい

い上に共有感があまり持てません。可能ならば斜め横（90°）か真横に位置取りをするようにしましょう。

□メモを取りながら練習をする

　この方法はさまざまな場面に応用できるはずです。喫茶店での打ち合わせから講演聴講時の記録まで、まさにいつでもどこでもファシリテーション・グラフィックができます。

　そのためには、ファシリテーション・グラフィックを意識してメモを取る練習を積んでください。図5-17は、講演を聴講したときのメモです。お話しの生々しい記憶を留めるのに役立つのはもちろん、レイアウト感覚を磨く練習にもなります。さらに、囲み図形や矢印やイラストなど、いろいろな描き方を試す機会にもなります。

図5-17｜ノートに自分でメモを取るときにも使える（講演メモ）

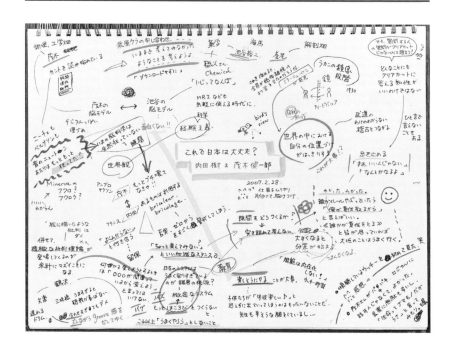

意思統一が必要な場で

● 部門横断会議／プロジェクト会議 ● チャート型

活用シーン

　収束は話し合いの最後にだけ必要というわけではありません。会議は、発散→収束→発散→収束…の繰り返しであり、会議の要所要所で「ここまでの話をまとめるとこうなりますよね」という「意思統一」が必要となります。ここでは、集団思考や合意形成を助けてくれるチャートが威力を発揮します。

描くポイント

□意思統一が必要なタイミングをつかむ

　「ここまでのところをまとめよう」という流れになったときはもちろん、次のような状況に陥っているときも、意思の統一が必要な局面です。

- ・「これが悪い」「あれが悪い」「いや、こうなっているのは××のせいだ」などと原因探しで紛糾している
- ・「ああしたらよい」「こうしたらよい」と方策が乱れ飛んでいる
- ・「これに注力すべきだ」「いや、△△もしなければならない」「○○はしなくてよいのか」と優先順位づけで紛糾している

□目的に応じたチャートを適切に選ぶ

　問題点や方策を体系的に整理するときにはロジックツリー、仕事の流れを整理するときにはフローチャート、優先順位をつけるときにはペイオフマトリクスといった具合に、チャートにはそれぞれ適した用途があります。その用途に照らして最適なチャートを選びましょう。

事例を見てみよう

　自部門で取り組むべき対処策を議論したところ、打ち手候補がたくさん出てきました。どれも重要なのでしょうが、すべての打ち手に取り組むわけにもいきません。優先順位をつけて取捨選択することを迫られます。

　そこで、それぞれの打ち手を「期待される効果」と「遂行の容易さ」の2軸で相対的に評価し、優先順位を目に見える形にするペイオフマトリクスを用いて意思を統一させました。紛糾していた議論を一つひとつこの枠に当てはめていくことで、納得度の高い合意形成ができました。チャートと付箋を組み合わせて使うよい例にもなっています。

　さらに2つ事例を紹介しておきましょう。ひとつは、問題の根本原因を探るために、因果関係を矢印で結ぶ因果ループ図（連関図）を使って意思統一した例です。もうひとつは、グラフィックを上達するべく今後取り組むことを抽出するために、KPTというフレームワークを用いた事例です。

図5-18 ｜ ペイオフマトリクスで優先順位をつける

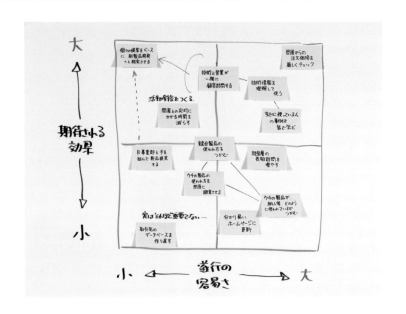

図 5-19 | さまざまなフレームワークを活用する

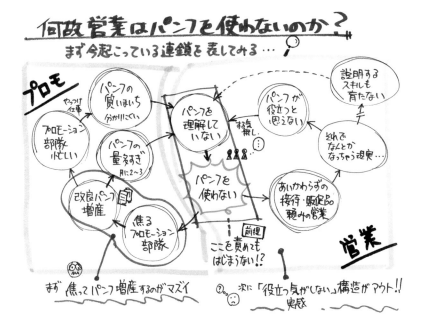

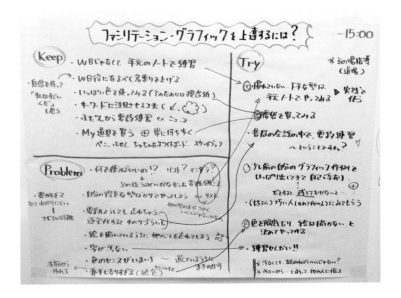

実際のケースを見てみよう

　ここでまたファシリテーターの頭の中を覗いてみましょう。チームの意思決定に際して、細やかな心遣いをしていることが分かるはずです。

ケースの概要

　企画部の私に、急いで相談したい案件があると総務部から呼びかけがありました。営業部と購買部の代表者が集まって、「会社に来訪したお客様へのお茶出しをやめてはどうか」について話し合いたいとのことです。中立的な立場として、ファシリテーターを務めてほしいというのです。

🚩 会議スタート

ディスカッション	ファシリテーターの頭の中
企画「本日は、総務部から提案がありましたように「会社に来訪したお客様へのお茶出しをやめてはどうか」という件について、営業部と購買部のご意見を伺った上で決めようということで、集まっていただきました」	今日は、この提案を部長会議に出すか出さないか決めないといけないわ。結論があいまいにならないよう、本日の論点をはっきりと書いておきましょう（書きながら説明する）。
営業「それは困りますよ。そちらはそれで助かるでしょうが、総務はお客様のことを考えているのですか?」	おやおや、最初からご機嫌斜めなこと（相手を見つめる）。まずはプロセス（話し合いの進め方）を共有しておかないと、議論がまとまらないかも。
企画「ちょっと待っていただけますか。ご意見は後で伺うとして。今日はどんな段取りで議論をしていきましょうか?　特にご要望がなければ、まずざっくばらんに意見を出して、それらを整理していって、論点を絞り込むといった形で進めたいのですが、いかがでしょう?　もっとよい手順を思いついたら、途中で変更しようと思いますので」	今日はいきなり型にはめずに、まずは各部門に自由に言いたいことを言ってもらってから、少しずつまとめていくのがよさそうだわ。緩めのプロセスを提案しましょう。 それも仮置き（とりあえず）で始めておいたほうが、プロセス決めでもめずに済むかな。
総務「企画にお任せしますので、よろしくお願いします」	

事前準備

　この話し合いでどこまでたどりつきたいか、総務部にゴールのイメージを確認しておきます。特にこのようなテーマでは、各部門の意見が拾えれば十分なのか、合意形成までたどりつかなければならないのか、ゴールによって会議の組み立ても参加する姿勢もまったく異なってきます。

　次に、集まるメンバーを確認し、誰がどんなことを言いそうか、誰の影響力が強そうか、少し探りを入れておきます。また、当日は多様な意見が出ることを予想し、大きめの付箋を持っていくことにします。

ファシリテーション・グラフィック

〈論点〉お客さんへのお茶出しをやめるか否か？

ここに意見を書いて
整理していきます

企画「では、特にご意見がないようですので、そういう形で進めさせてください。はじめに、皆さんから率直な意見を伺いましょう。まずは総務から口火を切ってもらえませんか」

よしよし。だったら、ここにプロセスを描いておいて、議論がグルグル回ったり、時間が足らなくならないようにしておきましょう（手早く描いて、場に戻る）。

総務「では、私から。皆さんご存知のように、全社的な経費削減目標を達成するために、総務部ではすべてのサービスの見直しをしています。その中でお茶出しなどの接客業務は、今の時代に必要不可欠な仕事とは思えず、今回ご相談している次第です。その第一の理由は…」

とりあえず、話をしっかりと聞いて、そのままポイントを箇条書きにしておきましょう。整理の仕方は後で考える、と（相手の目を見て傾聴の姿勢をとる）。

（中略）

企画「かなり意見が出てきたので、少し整理をしてみましょうか。ご意見は大きく、お茶出しをやめたときのメリットとデメリットに分かれるように思います。このままでは見にくいので、少しお時間をいただいて、整理し直してもよろしいですか?」

おおよそ議論が一巡したので、そろそろ整理をして、もう一段議論を深めていきましょう（記録を見つめて、皆の視線を誘導）。偏った議論のバランスも取らないと。図解を使うとしたら、まずはTチャートかな。ややヒートアップしてきたので、意見を整理し直している間に少し頭を冷やしてもらいましょう。

（10分後）

企画「お待たせしました。こんな感じになりました。ややデメリットが少ないようですが、何か見落としはありませんか?　メリットのほうも他にないでしょうか?」

一旦整理できたところで、バランスを整えた上で、ヌケモレをチェックしていきましょう（少し離れて、参加者と同じ目線で、整理したものを見つめる）。

総務「お客さまからの苦情が総務に入りそうですかねぇ…」

これはデメリットだわ。早速追記しておきましょう。

（中略）

企画「かなりバランスよくなりましたね。意見も倍くらいに増えました。ただ、こうなると、全体像が見えにくくなり、網羅的に検討できているかが分からなくなってきましたね。よく見ると、意見はいくつかの切り口に分かれると思いますが…」

人間の頭が同時に理解できるのは7つくらいまでと本で読んだことが…。もう7つを超えているので、これをさらにいくつかの切り口で分類して、マトリクスチャートで分けましょう。さてどんな切り口で分ければ分かりやすいのかな?（頭に手をやって考える）

〈論点〉お客さんへのお茶出しを やめるか否か？

〈プロセス〉アイデア出し→意見を整理する→論点の絞り込み→決定

- 人件費(工数)の削減
  → 接客回数を要調査
- 担当者の手間が減って助かる
  → 本来業務に集中できる
- コスト優先で、顧客満足に逆行するのでは
- お客様の評判が落ちるのが心配
- お茶出しをしないなんて、非常識！
- 接客者がお茶出しをやるのは カッコ悪い
- 一々、説明するのが面倒
- 男女平等がアピールできる
  → 遅すぎるのでは？
- 女性や組合からの苦情が減る
  → 年に数件あり
- 新しいイメージが訴求できる
- 気をつかわなくてすむ
- 好きなものを飲んだ方がよい
- お客様からの苦情が総務に来る

> まずは羅列でいいのです

> 「○○が△△である」と短い文章にするのがコツです

〈論点〉お客さんへのお茶出しを やめるか否か？

〈プロセス〉アイデア出し→意見を整理する→論点の絞り込み→決定

メリット	デメリット
○ 人件費(工数)の削減 　→ 接客回数を要調査 ○ 男女平等がアピールできる 　→ 遅すぎるのでは？ ○ 担当者の手間が減って助かる 　→ 本来業務に集中できる ○ 女性や組合からの苦情が減る 　→ 年に数件あり ○ 新しいイメージが訴求できる ○ 気を使わなくてすむ ○ 好きなものを飲んだ方がよい	○ コスト優先で、顧客満足に逆行するのでは ○ お客様の評判が落ちるのが心配 ○ 接客者がお茶出しをやるのはカッコ悪い ○ 一々、説明するのが面倒 ○ お茶出しをしないなんて、非常識！ → ○ お客様からの苦情が総務に来る

> 一旦書いたものを消して移動させ、最後に線を描き加えました

> まだまだ意見を出してもらうため、余白を取っておきます

営業「会社の視点で見た場合と、顧客の視点で見た場合じゃないでしょうか?」

企画「その通りです。ただ、会社の視点といっても、経営サイドの観点と接客している本人の視点は違うような気がしますが」

購買「顧客だって、お得意様と新しい客とは違うよな」

企画「そうですね。ではご意見を参考にして、私のほうで、視点別に少し整理をし直してみます。また5分ほどお時間をいただけませんか?」

（5分後）

企画「お待たせしました。3Cのフレームワークを元に、さらにもう一段分けてみました。いかがですか、これで網羅的に整理できたんじゃありませんか? よく見ると、意見が出てない欄がいくつかあります。そこは考えなくてもよいのでしょうか?」

（中略）

企画「ありがとうございます。これでほぼ意見は出尽したと言えるのではないでしょうか。次に、この中から我々はどれを大切にすべきなのか、重要度を見ていきましょうか」

総務「総務としても、顧客の視点を無視するわけではありませんが、特に迷惑にならないなら、コスト削減が今のわが社にとって最大の懸案事項ではないかと思います」

（中略）

企画「なるほど、業務効率化と男女平等の2つが今の我々にとって重要な観点というわけですね。この点、皆さん異論がないようで、基本的には皆さんお茶出し廃止に賛成と考えてよいでしょうか」

そうだわ。こういうときは3Cのフレームワークを使うに限る! ただ、もう少し構造化しておいたほうが見やすいように思うんだけど…。

分け方で議論をしていたのでは時間がもったいないので、とりあえずこちらに任せてもらいましょう。整理しているうちによい切り口が見つかるかもしれないし。

結局、切り口をツリー構造にしてMECEになるようにしてみた。これでほぼ完璧だわ（できあがりを眺める）。最終的に部長会議に提案しなくてはならないので、妙な指摘を受けないよう、ありとあらゆる角度から検討をして、徹底的にヌケモレをつぶしておきましょう。

発散が一段落したので、そろそろ収束に入らないと。それには軸となる考え方が必要だわ。それを探すために、各項目の中から、今の我々にとって重要と思われるものに印をつけていきましょう。
要するに「業務効率化」がポイントだというのね。それは他の項目にも現れており、確かに一つの軸になりそうだわ（聞きながら、該当箇所をペンで指し示す）。枠囲みで強調しておきましょう。

ほぼ、意見がそろってきたところで、結論に至るプロセスや基準をはっきりさせた上で、結論を一気にまとめてしまいましょう。口頭だけではなく、ホワイトボードに描いて（ペンで指し示す）。

〈論点〉お客さんへのお茶出しを **やめるか否か？**
〈プロセス〉アイデア出し→意見を整理する→論点の絞り込み→決定

			メリット	デメリット
会社	経営		・人件費(工数)の削減 →接客回数を要調査 ・男女平等がアピールできる →厚すぎるのでは？	・コスト優先で顧客満足に逆行するのでは ・自販機等はエコに反する恐れあり、逆効果かも？
	従業員	総務	・担当者の手間が減って助かる →本来業務に集中できる ・女性や組合からの苦情が減る →年に数件あり	・お得意様からの苦情が心配
		接客者	・話が中断するのを防げる	・お客様の評判が落ちるのが心配 ・接客者がお茶出しをやるのはかっこ悪い ・一々説明するのが面倒！
顧客	お得意様・年配		・時代の流れであり、かえって好感が沸くのでは？	・お茶出しをしないなんて非常識！ ・紙コップ等では失礼にあたる
	新規顧客・若者		・新しいイメージが訴求できる ・気を使われなくてすむ ・好きなものを飲んだ方がよい	（特になし）
競合	同業他社		☆特に気にしなくてもよい？	

まんべんなく埋まる
のがよい切り口です

〈論点〉お客さんへのお茶出しを **やめるか否か？**
〈プロセス〉アイデア出し→意見を整理する→論点の絞り込み→決定

			メリット	デメリット
会社	経営		・人件費(工数)の削減 →接客回数を要調査 ・男女平等がアピールできる →厚すぎるのでは？	・コスト優先で顧客満足に逆行するのでは ・自販機等はエコに反する恐れあり、逆効果かも？
	従業員	総務	・担当者の手間が減って助かる →本来業務に集中できる ・女性や組合からの苦情が減る →年に数件あり	・お得意様からの苦情が心配
		接客者	・話が中断するのを防げる	・お客様の評判が落ちるのが心配 ・接客者がお茶出しをやるのはかっこ悪い ・一々説明するのが面倒！
顧客	お得意様・年配		・時代の流れであり、かえって好感が沸くのでは？	・お茶出しをしないなんて非常識！ ・紙コップ等では失礼にあたる
	新規顧客・若者		・新しいイメージが訴求できる ・気を使われなくてすむ ・好きなものを飲んだ方がよい	（特になし）
競合	同業他社		☆特に気にしなくてもよい？	

① 経費削減の観点
② 男女平等の観点
⬇
お茶出しは止める！
ただし…
→ 顧客満足度の低下を
→ 最小限に抑える
　　　　やり方で

結論と理由（決め手）
をセットにすると分
かりやすくなります

235

企画「あとは、顧客の満足度低下をどのように最小限に抑えるかがポイントだということになりそうですね」

購買「その通りで、それさえできるのなら、廃止するのが今の流れなんだと思います」

企画「分かりました。でしたら、残りの時間を使って、どうやったら顧客満足を落とさずに廃止ができるか、そこのアイデア出しをやりましょう（ホワイトボードをひっくり返す）。では、今から皆さんに付箋を配りますので、新たにこのテーマに沿って思いつくアイデアを書いてください」

（中略）

企画「なるほど、そういう手もありますね。他になかったら、この中から選ぶことにしましょうか。さて、どんな切り口でこれを評価したらよいでしょうか?」

総務「そりゃ、顧客満足度が高くて、業務効率の効果も高いものが、一番よいに決まっているよ」

企画「そうですね。ではこの2つの要素を軸にして、マトリクスで評価しましょう。では、今まで出てきたアイデアがどこに入るか、皆さん意見をください。最初は…」

（中略）

企画「これで全部はまりましたね。そうすると、このあたりが望ましいアイデアとなります。一番よいのが自動給茶機を置いて、接客者自身にお茶を入れてもらうという案ですね」

営業「VIPのみお茶出しを続けるというのも、組み合わせてはどうでしょうか?　それほど

よし、これで一旦合意がまとまったので、次の段階に進みましょう。ここでホワイトボードをひっくり返すことで、場のムードも一新させて（ホワイトボードをひっくり返して、論点を再度書く）。今度は、また何回も整理し直すのは面倒だし、議論の硬さもとれてきたので、付箋を使ってアイデアを出してもらえばいいわ（付箋を配る）。

そろそろアイデアのペースが鈍ってきたので、この辺で打ち切りにしましょう。答えはほぼ見えているんだけど、合理性と納得性を高めるために、ここでもツールを使って取捨選択したほうがいいかな。

時間があれば、評価軸を増やして意思決定マトリクスを使うのでしょうが、今回はこの2つの軸でほぼ問題ないはず（大きく軸を描く）。

よし、これで本命のアイデアが決まったわ（付箋を指し示し、内容を読み上げる）。

あとは、これにどれだけ他のアイデアを組み合わせることができるかだわ。実行した場合のリ

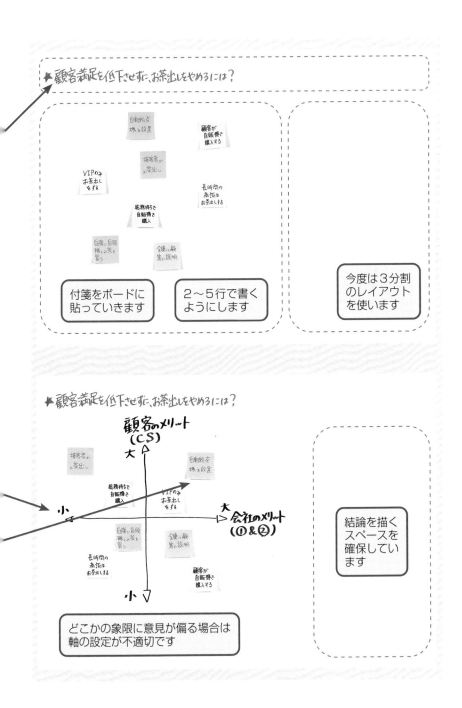

★ 顧客満足を低下させずに、お茶出しをやめるには？

自動給茶機を設置

顧客が自販機で購入する

接客者がお茶出し

VIPのみお茶出しをする

長時間の商談はお茶出しする

庶務持ちで自販機で購入

自腹で自販機でお茶を買う

金庫に顧客に説明

付箋をボードに貼っていきます

2〜5行で書くようにします

今度は3分割のレイアウトを使います

★ 顧客満足を低下させずに、お茶出しをやめるには？

顧客のメリット
(CS)
大

接客者がお茶出し

自動給茶機を設置

庶務持ちで自販機で購入

VIPのみお茶出しをする

小

大

会社のメリット
(①&②)

自腹で自販機でお茶を買う

金庫に顧客に説明

長時間の商談はお茶出しする

顧客が自販機で購入する

小

結論を描くスペースを確保しています

どこかの象限に意見が偏る場合は
軸の設定が不適切です

237

頻度が多くもないし、これはやはりやめられないでしょう」

（中略）

企画「では最終的に、これら3つの案を組み合わせるということで、このような結論になりますが、よろしいでしょうか？　皆さん、本当にこれでOKか、よく確認してくださいね」

一同「異議なし!」

企画「ありがとうございました。最後にこれからのアクションですが、来週の部長会議には総務のほうから提案してもらえるんですね？　承認されれば、いつから実行されるのですか?」

総務「ええ、皆さんさえよければウチから提案します。来年1月から試行して、3ヶ月様子を見た上で、完全に廃止にしたいと思います」

企画「皆さん、今後の段取りはそれでよろしいですね。もし異論がなければ、これで本日の会議を終了したいと思います。皆さん、お疲れさまでした」

スクに対する備えも考えておかないといけないし。蒸し返しの議論にならないよう、これから取り上げるアイデアの範囲を示しておきましょう（丸で囲む）。

ここは一番大切なところで、後で結論に対する解釈でもめないよう、一字一句、合意事項を書いておきましょう。目立つよう枠囲みして。皆が本当に賛同しているかもしっかりと見極めておかないといけないわ（視線を合わせて、同意を見極める）。

ここまで来ても、決めたことを実行しないことがあるから困っちゃうわ。ここは最後のひと踏ん張り。後でホゴにされないようしっかり書いておきましょう。

（うなずきつつ、総務以外の人の顔も見て納得度合いを確認する）

やれやれ、これで無事終わったわ。できるだけ急いで記録を回して、合意事項をもう一度確認してもらい、部長会に向けての根回しに活用してもらいましょう。

⚑ フィニッシュ

ケースのまとめ

　リスト型で発散させ、チャートを使って収束させていく、ファシリテーション・グラフィックの見本のようなケースです。ポイントをまとめます。

　・（無理強いではなく）自然な形で図解やフレームを活用していく

　・テーマに合った適切な図解を使う

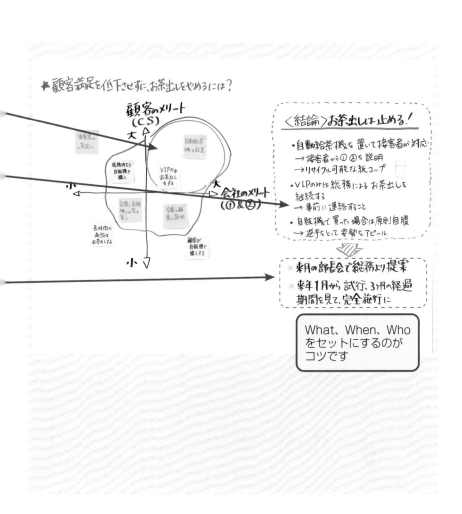

★顧客満足を低下させずに、お茶出しをやめるには？

顧客のメリット
（CS）

大

小

会社のメリット
（①&②）

＜結論＞お茶出しは止める！

・自動給茶機を置いて接客者が対応
　→接客者から①②を説明
　→リサイクル可能な紙コップ
・VIPのみは総務によるお茶出しを
　継続する
　→事前に連絡すること
・自販機で買った場合は原則自腹
　→遅手として姿勢をアピール

・来月の部長会で総務より提案
・来年1月から試行、3ヶ月の経過
　期間を見て、完全施行に

What、When、Who
をセットにするのが
コツです

　・ヌケモレのないバランスの取れた議論を心がける

　・休憩を活用して場の流れを変える／自分の思考時間を生み出す

　また、このケースでは、企画部の私がファシリテーターとグラフィッカー
の両役を担っています。ファシリテーション・グラフィックを効果的に使い
ながら、皆の議論を導いている様子が感じ取れるはずです。ファシリテーシ
ョンとグラフィックは不可分であることが実感できるケースだと思います。

進め方の
レベル合わせの場で

●会議／研修 ●A4用紙 ●紙芝居

活用シーン

　会議や研修で、テーマ、ルール、作業内容など、話し合いに必要な情報をメンバーに示そうとしている状況です。普通は資料を配布するか、パソコンとプロジェクタを用いて映し出すところですが、場を盛り上げるために、第2章で紹介した紙芝居を使いましょう。A4〜A3のコピー用紙に示したい内容を描いておき、紙芝居のように皆に見せながらプレゼンするのです。

描くポイント

□メンバー全員が見えるように描く

　メンバーの人数や部屋の大きさを考慮に入れ、誰から見ても読めるように大きくはっきりと描きます。少人数ならばA4用紙で十分ですが、少し人数が増えてきたらA3用紙を使うようにします。

□少し落ち着いて説明する

　描いた本人は何度も考えて描いた内容ですから、しっかり頭に入っていますが、メンバーにとっては初めて聞かされる内容です。ついつい早口で説明してしまいますが、そこを意識的にゆっくり丁寧に説明しましょう。

□説明の済んだ紙を掲示して残す

　説明の終わったものから前にペタペタと貼っていきます。そうすれば、説明を受けた内容が時系列で並び、いつでも一覧／参照できるようになります。これは、手元資料やパソコンにはない利点です。自分の手の届きやすいとこ

ろに、あらかじめテープを切って貼っておくと便利でしょう。

□そのまま付箋代わりに使って議論する

　話し合いが始まったら、そのままA4大の付箋として使います。あらたに意見を描いた紙を貼り付けたり、組み合わせてグループ化したりします。ホワイトボードや模造紙とあわせて使うと効果的です。

ステップアップのヒント

□意見の引き出しに活用する

　紙芝居はファシリテーターだけが使うものではなく、メンバーにもどんどん使ってもらいましょう。たとえば、スクール形式（教室型）で大人数で情報伝達の会議をしているとしましょう。参加者から意見を募っても返答がありません。そういうときに、自分の感じたことや気づいたことをA4用紙に描き、全員で一斉に掲げてもらうのです。その後で気になる意見を拾い出せば、自然と意見交換が始まります。

□研修での自己紹介に活用する

　研修などで自己紹介するときにも役立ちます。「自分が呼んでもらいたいニックネーム」「自分を自動車の部品にたとえると？」「今の気分を漢字一文字で表すと？」などをA4用紙に描き、プラカードのように胸の前に掲げて発表してもらいます。それだけで、硬かった場が和み、活き活きしてきます。ボールペンではなく、はっきりと読める水性マーカーで描くのがお勧めです。

図 5-20 ｜ 紙芝居で示して貼っていく

241

筆者愛用のツールたち

筆者は普段どんなツールを使っているか。まとめて紹介しましょう。

●ペン類

- □ 水性マーカー　10色セット
  三菱鉛筆　ユニプロッキー・ツイン　PM-150TR 10C
- □ ホワイトボードマーカー　黒／赤／青／緑
- □ ゲルインクボールペン　黒／赤／青
  ゼブラ　HYPER JELL　太字（0.7）　JJB101
- □ STABILO　黄色／ピンク／薄緑／薄紫
- □ 普通のサインペン　黒／赤／青
- □ ウエストポーチ

●キャンバス

- □ 模造紙（1091mm × 788mm）
- □ ポストイット イーゼルパッド
  方眼入り 762 × 634mm EASEL 560
- □ コクヨ　フリップチャート　BB-GT32W4W4FC
- □ A4、A3 コピー用紙
- □ 付箋（76mm × 127mm）
  住友スリーエム　ポスト・イット　655RP-Y
- □ A4 判ノート／ F4 判スケッチブック

●その他小道具

- □ スマホ／デジタルカメラ
  アップル　iPhone10、ソニー　DSC-W830
- □ マグネットシート（33mm × 100mm、自作）
- □ 養生テープ
  セキスイ　マスクライトテープ
- □ マーキングシール（直径 16mm、5 色）
  ニチバン　マイタックラベル

第6章

熟達編｜6

ファシリテーション・グラフィック
を極めるために

進行と記録を両立させるには

　ファシリテーターは、単に記録をつくるのではなく、議論の進行に常に気を配りながら、話し合いを促進するためのさまざまな働きかけをしています。ファシリテーション(**進行**)とグラフィック(**記録**)をどう両立させるか、上達の過程で必ずぶつかる重要な問題について、ヒントを述べておきましょう。

▅▅話し合いの進展に応じてバランスを変える

　第1章で述べたように、会議の進行と記録を同時にやるのが理想的ですが、正直言ってかなり難しい作業です。一方に気をとられているともう一方がおろそかになり、結局どちらも中途半端になってしまう場合も少なくありません。最初は両立を完璧にやろうとせず、どちらかに比重を置きながら、議論の進展に応じてバランスを変えるようにしましょう。

冒頭は進行・関係づくりを優先

　話し合いの冒頭では、論点や進め方などを、ファシリテーター自身が描きながらしっかりとメンバーに確認をとります。

　意見の出始めは、それを描き留めるよりも、しっかり相手と向き合って聴くことを優先します。まずは、メンバーとファシリテーターとの関係づくりのため、発言者の受け止めの雰囲気づくりに重きを置くのです。記録はあくまでも受け止めたというサインとして使います。ウォーミングアップをして

いる間は、あえて何も描かないのもひとつの手でしょう。

前半は記録を優先

　みんなが口を開き始めたと感じられたら、キャンバスに皆の意見を記録する作業に比重を移します。どの意見が重要か／重要でないかといった判断をあまり入れず、なるべく公平に、どんどん皆の発言を正確に分かりやすく描いていきます。描くのは大変ですが、ある程度メンバーとの信頼関係もできており、キャンバスばかりを見てアイコンタクトが減っても、受け止め感が減ることはないはずです。

中盤は記録の度合いを下げ、頭を使う余裕を

　ある程度意見が出そろってきたら、どの意見が重要か、議論は大きくどんな要素から成っているのか、それぞれがどういう関係にあるのかなどを考え、どうやって議論を整理していけばよいのか考え始めます。このあたりまでくると、すでに出た意見の繰り返しが増え、記録にかける労力が減り、考える余裕が生まれます。その時間を使って構造化の方法を考えるのです。難しければ、短い休憩をとって考えたりまとめ直したりするのが得策です。

後半は臨機応変に

　議論がうまく整理できたら、それを表現したグラフィックをベースに議論をしっかりとかみ合わせていきます。

　皆が「う〜ん」と考えあぐねてしまったり、次にどこを議論してよいか困ってしまったりすれば、記録よりも進行を優先させ、議論を深めるほうに気を配ります。逆に、グラフィックを起点に皆が白熱してくれば、記録と構造化に集中し、時折議論に介入してコンセンサスづくりに力を注ぎます。対立が大きいときは、グラフィックを使って相違点を解きほぐすのも効果的です。

　首尾よく結論にたどり着いたら、結論をしっかりと描いて、解釈の食い違いが生まれないよう、一言一句確認していきます。あわせてメンバーの決意の度合いも読むようにするとよいでしょう。

▅ 2つの悩みの解決法

　全体の流れは分かっても、実際には個々の局面で、進行と記録のどちらを優先させるか悩むことが少なくありません。そんなときのために、ちょっとしたコツをお教えしましょう。

悩み①　話を聴いていると描けなくなる

　第2章の要約のところで述べたように、発言の中には重要な箇所とそうでない箇所があります。「要するに」「ということで」で始まる重要なところは意識を集中させてしっかりと聴きましょう。逆に、「たとえば」「繰り返しになりますが」といった重要でないところは、少し聴く耳を休めて、議論をまとめるほうに頭を使うのです。

　何が重要か分からないときは、話を聴きながら、キャンバスの端にポイントを小さくメモしておいて、描くときに取捨選択するようにします。話の全体像が分かれば、キーワードを選び出すのが楽になるからです。

　あるいは、高等テクニックになりますが、話し手をそそのかして、気分よくしゃべらせている間に、頭の隙間時間をつくって、どうまとめるかを考えるという手もあります。

悩み②　描いているとどんどん話が進んでしまう

　描くスピードを上げ、かつ描く量を減らすことです。話すスピードは描くスピードよりはるかに速く、決して間に合いません。少々乱暴でもよいから、できるだけ速く描くようにしましょう。足らないところは後で描き足せばよいと割り切り、最低限必要なポイントのみを記録するようにします。

　もうひとつの工夫点は、描きながら考えないようにすることです。考えているとどうしてもスピードが遅くなります。ひとたび頭の中でこう描こうと決めたら一気に描くようにしてください。もし、どうまとめようかゆっくり考えたい場面がきたら、おそらくメンバーも同じ思いのはずです。一旦発言を止めてみんなで考えるようにするとよいでしょう。

得意なほうから不得手を攻める

　では、どうやったら両立ができるようになるのか、マスターの仕方をお話ししましょう。基本的には、どちらか得意なほうを習得してから、不得意なほうに攻めていく戦法をとります。

　ファシリテーターには大きく2つのタイプがあります。ひとつは、意見を受け止め、引き出し、グループのダイナミクスを使って創造的な考えをつくり出す、「広げ役」「引き出し役」としての**発散系ファシリテーター**です。コミュニケーション系（心理系）のスキルに長けた人で、安心できる場をつくり、メンバーの状態を観察しながら、意見を引き出すのが得意です。場のムードメーカーであり、場を盛り上げるのがうまい人です。

　もう一つは、思い込みや思考の歪み・偏りを正し、合理的でバランスのとれた話し合いを組み立て、議論を収束に導く「まとめ役」「チェック役」としての**収束系のファシリテーター**です。論理系（思考系）のスキルに長けた人で、論点を整理して全体像を示し、抜けている視点を問いかけ、メンバーの思考の枠組みを超えた創造的な合意づくりをリードしていきます。

　もうお分かりのように、前者のタイプは進行から後者のタイプは記録から練習を始めて、ある程度できるようになったなら、少しずつもう片方も兼ねるようにするのが望ましいでしょう。それと、進行と記録の両方をマスターしたい方にお勧めの練習法があります。それはインタビューです。これなら、話を進めていきながら、グラフィックにまとめていく作業が1人でトレーニングできます。いきなり会議の場でやる自信のない方は、インタビューで腕前を上げることをお勧めします。

図6-1 | 発散と収束

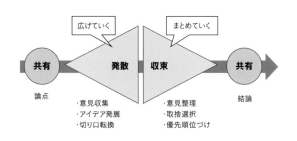

立ち振舞いを通じて
議論を促進する

▬ 存在の仕方が場に影響を与える

グラフィックはひとつのパフォーマンスだ

　グラフィッカーは、キャンバスに話し合いを描いていく役目であり、必然的に「皆の前に立つ」「皆の視界に常に入っている」存在になります。目の前で人間が動けば、その一挙手一投足が場に少なからぬ影響を与えます。

　グラフィッカーが描いたものを指差せば、自然とそこに注目が集まります。グラフィッカーが腕組みをして考えこめば、「ポイントをはずしたのでは」と発言者は不安になります。ホワイトボードをひっくり返せば、「あ、場面が変わったな」と場のムードに影響します。

　記録作業はパフォーマンスなのです。グラフィッカーの仕草、その場での存在の仕方次第で、話し合いが変化します。これは、他にファシリテーターがいて記録に徹しているときでも同じです。グラフィッカーは単なる記録係ではありません。**アシスタント・ファシリテーター**(サブ・ファシリテーター)として重大な影響力を持っていることを認識しておかねばなりません。

基本ポジションを定めておく

　まずは**立位置**の話から始めます。いくらパフォーマンスだといっても、肝心のグラフィックが見えなければ本末転倒になります。すべての参加者から

常にグラフィックが見えるよう、記録スペースの端に立つのが基本のポジションです。ペンを持つ手の関係から、右利きの方は参加者から見て右側に、左利きの方は左側に立ちましょう。

　描くときは、参加者が内容を確認しやすいよう、なるべく手元を見せるようにします。キャンバスをさえぎってしまわないよう、描き終わったら基本のポジションに戻ります。低い位置に描くときには、しゃがんで描くとグラフィッカー自身も描きやすく、参加者からも手元が見えやすくなります。

　しゃがんで描くのは、参加者と目線の高さを合わせるという意義もあります。ずっと立っていると、グラフィッカーはどうしても上から皆を見下ろす位置関係になってしまいますが、しゃがめばそれが緩和され、皆の意見を真摯に受け止めているという姿勢をかもし出すことができます。

図6-2 ｜ ファシリテーターとグラフィッカーのポジション

ファシリテーターとの連携のために

　グラフィッカーは、描きながら2種類のメッセージを発信します。ひとつは、ファシリテーターと互いに連携するために交換するサインです。

1）記録内容を確認する

　ファシリテーターは、「要するに○○ということですね」と発言をまとめたとき、それを正しく記録できているか不安になる場合があります。そういう

空気を感じたときは、描いた後でファシリテーターに目くばせをしたり、描いた箇所をうなずきながら指差したりして、確認をしてもらうようにします。

２）フィードバックする

多くのファシリテーターは、進行しながら「この進め方で本当によいのだろうか？」と不安に感じる場面にしばしば出くわします。そういうときに、グラフィッカーからフィードバックがあるととても心強いです。

ファシリテーターが、適切な進め方を提案したり、うまい問いかけをしたときには、力強くうなずいてあげると大きな励ましになります。逆に、適切でないプロセスや質問には、軽く首をひねれば、その意味が伝わるはずです。

３）助け舟を出す

さらに、ファシリテーターが困っているときには、助け舟を出すことも重要です。特に議論が盛り上がりを見せる中盤では、ファシリテーターは目の前の進行に必死になり、全体を冷静に見るのが難しくなります。それに対し、グラフィッカーはむしろ考える余裕が生まれてきます。しかも、キャンバス上で全体像を常に見ている立場です。

ファシリテーターが議論の行方を見失ったり、どうしてよいか分からなくなったりしていたら、板上のゴールや論点や重要なポイントを指し示してあげてください。グラフィッカーから進め方をアドバイスするのも大いに結構です。かなり混乱しているときは、グラフィックをまとめ直すことを理由にして、休憩を申し出て助けてあげましょう。

メンバーの議論を促進するために

もう一つは参加メンバーに対して送るサインで、次のようなものがあります。これらは通常ファシリテーターが行う動作ですが、グラフィッカーが援護射撃することで、その効果が高まります。

１）受容・承認する

ファシリテーターと２人で力を合わせて聴く役目を果たします。描く前に、明るい表情でしっかりアイコンタクトをして聴き、あいづちを打ったり、うなずく仕草を入れると、発言者は受け止めてもらえたという印象が増します。

2）論点に引き戻す

　論点からズレそうだったり、ズレてしまった発言者には、すでに描いた論点を指し示して注意を促します。描き始めたものの、論点が違うことに気がつき、あわてて消して他の場所に描き直す…といった仕草も、ズレていることを気づかせるのに役立ちます。動作を少し大げさにやるのがコツです。

3）適切な発言を促す

　結論が全然出てこないときなど、発言をじっと聴きながらも、少し困った顔で一向に描き出そうとしなければ、適切な発言になっていないことが相手に伝わります。ペンをブラブラさせたり、紙面をトントンと軽く叩いたり、首をかしげてじっと考え込むことで、こちらの意図がさらに強調できます。

4）場を演出する

　普段は場と少し距離を置いて立っているグラフィッカーが身を乗り出せば、特定の発言をクローズアップさせられます。一方、グラフィックから少し離れて、描いたものを眺める仕草をすれば、参加者もここまでの議論を振り返ろうという気になります。あるいは、少しオーバーに忙しく走り回って描くようにしたら、議論が活性化してきたムードが演出できます。

5）場のムードを変える

　ひとつのテーマから次のテーマに移ったときに、いらなくなったホワイトボードの記録を大げさに消したり、勢いよくひっくり返すと、場の転換が演出できます。フリップチャートを威勢よく破り捨てるのも効果的です（言いたいことを全部描き出した後で、わざと丸めて捨てる人すらいます）。

　さらに、あらたに場所を見つけて、そこに大きな記録スペースを確保すれば、気分が一新でき、アイデア出しへのファイトが高まります。スペースに変化を与えることで、場のムードが変えられるのです。

図6-3 ｜ 参加を促進する仕草

心理に寄り添う振舞い方を身につける

━━発言者の気持ちになって要約する

　上手に要約するための考え方やテクニックを第2章で解説しました。そこでは、さまざまな制約がある中でいかに正確に発言を写し取るか、に力点を置きました。

　発言者の気持ちを考えれば、「正しく」発言を要約して記録するだけでなく、自分の発言さらには自分自身が「丁寧に」「尊重して」扱ってもらえているという実感が大事になってきます。そのための第一歩が、その人が使った言葉を尊重するという姿勢です。

　ところが、「みんなが使った言葉をそのまま描かない」という、矛盾するようなケースがあります。いくつか紹介していきましょう。

裏に隠れた真意を表出させる

　たとえば、ある施策を検討している場面で、「前に〇〇があったんですよね…」と事実を語りつつ、遠回しに「この施策はやめたほうがいい」と伝えようとしてきた人がいたとします。それを、「前に〇〇があった」と描いて終わりにしてしまってはいけません。施策を実行すべきか否かという論点に沿って、その人の真意を汲み取って描くべきです。

　だったら、「この施策はやめるべき」と描くのがよいのでしょうか。そこまでの意図はなく、疑問を投げかける程度のつもりで発言しているのかもしれ

ません。であれば、「この施策はやめるべき？」と描いたほうが、真意が反映されていることになります。

　同じような例で、「コストの観点から見てもそう言えるのですか？」と質問を使って反論する人がいたとします。この場合も「コストの観点では？」でなく、「コストの観点からは疑問」と描いたほうが的確だと思います。

　ただし、必ず本人に確認した上で記録しなければいけません。キーワードは「なので」です。先ほどのケースでは「なので、この施策はやめるべきではないか、ということですか？」と確認することになります。

　また、意見のニュアンスを表現するには、「○○をすべきだ！」「○○○をすべきでは？」「○○○をすべきだが…」と語尾を変化させるのが便利です。絵を添えるのも一法です。

図6-4 | 語尾を使ってニュアンスを表す

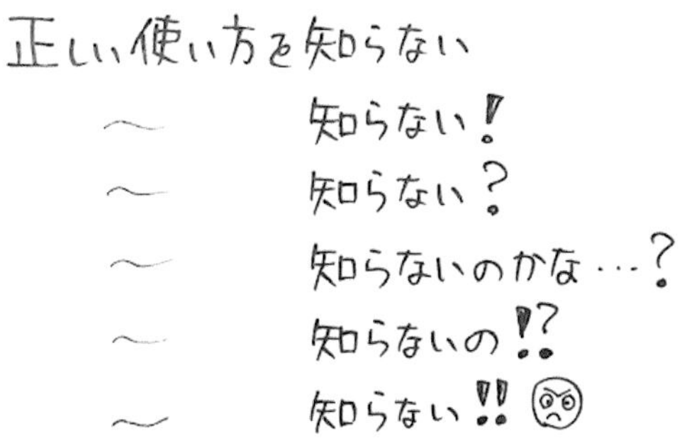

うまく言葉にできないことを探り当てる

　次は、発言者側に特段はぐらかす意図はないものの、自分の真意を表現するためにピッタリした言葉が見つからない、というケースについてです。

　たとえば、現在企画中の講演会に招聘する演者を検討している会議で、次のような発言が出てきました。

　「昨年の演者の先生方は、話の内容は素晴らしいのですが、演台にパソコンを置いて、文字やグラフや写真がびっしり詰まったスライドを淡々と解説

される人ばかり。舞台の真ん中に出てきて、聴いている人に訴えかけるような、華のある講演をしてくださる先生がいないものでしょうか。スライドも印象的な写真をバーンと見せたりとか…」。

具体的な描写の断片が連なるばかりで、本人もそれを総括する言葉を繰り出せません。こういうときは「つまり、スティーブ・ジョブズのようなプレゼンをしてくださる先生を呼びたいということですか?」と、その人の言いたいことを代弁してあげるとよいでしょう。

このときに自分が言いたいことにすり替えてしまうのは立場の悪用です。そうではなく、最大限の善意でもって、その人の本当に言いたい言葉を推察する作業だと考えてください。キーワードは「つまり」「要するに」です。

優しい言葉に変換する

3つ目は、テンションの上がった発言者から、一時の感情に任せた乱暴な言葉が飛び出すケースです。発言をそのまま記録したのでは、乱暴なニュアンスが色濃く残り、話し合いの場が荒れたままになります。言った本人も、そこまでの悪意がなかったのに、「言ってしまったからには」と振り上げた拳をおろせない状況になりかねません。

こういう場合に、グラフィッカーが確信犯的に、荒い言葉を優しい言葉に置き換えて描くことがあります。たとえば、「営業本部のやり方はずるい!」という発言があったら「フェアでない」と。元々の言葉と同じ意味ですが、ほんの少しでもニュートラルな言葉へとトーンダウンさせるのです。

非言語メッセージから意図を読み解く

このように、人は自分の意図をストレートに言葉にして発するとは限らず、発言者の意図を丁寧に読み解かないと正しい要約文がつくれません。

この読み解きのためには、言葉(言語情報)だけに注目していてはいけません。目線や話しぶりなどの、いわゆる非言語メッセージ(言外のメッセージ)を読み取る必要があります。

描く手を止めて発言者をじっと観察してください。特に、目線と態度に神経を集中しましょう。きっと言葉には表れないいろいろなメッセージを発信

しているはずです。その上で、話し振りや語尾のニュアンスなどに現れた、隠れたメッセージを読み取ります。目と耳を最大限に働かせることで、言外のメッセージが読み解けるのです。

　その際に、特に注意してほしいのは、言語メッセージと非言語メッセージが食い違っている場合です。多くの場合、後者のほうが本心を表しています。そういうときは、「…とおっしゃりたいんじゃありませんか?」と投げかけて反応を見るとよいでしょう。

意図を読み解く4つの視点

　ファシリテーターが読み解くべき発言者の意図には次のような種類があります。分類を知っておくだけでも、意図を読み解く手がかりになるはずです。

1）どんな欲求を達成したいのか

　話し合いの進め方が気にくわなくて反論ばかりする人もいれば、自分の存在を認めてほしくて過去の経験を語る人もいます。コンテンツに対する欲求、プロセスに対する欲求、単なる感情表現の区分けが必要です。

2）発言の目的は何なのか

　主張なのか質問なのか、問題提起なのか反論なのか、依頼なのか指示なのか、発言の意味を的確に読まないと論旨を見誤ります。特に私たち日本人はストレートに主張せず、遠まわしな意見の伝え方をする傾向があるので要注意です。

3）どういう構図で発言しているのか

　正しいか誤りか(記述的な問題)、損か得か(功利的な問題)、善いか悪いか(規範的な問題)、好きか嫌いか(感情的な問題)など、どの構図に話を持っていこうとしているのかも、意図を読み解く上で鍵となります。

4）発言内容を信頼しているか

　事実について述べているなら、その確からしさを判断する必要があります。よくあるのは、個人的な経験なのか世間一般で認められた事実なのかの判別です。意見の場合は、憶測、観測、仮説、考察、確信など、意見に対する信頼度を見極めるようにしましょう。

※[参考文献]平石直之『超ファシリテーション力』(アスコム)

きめ細かい配慮に力量が現れる

話し合いの場にどうフレームワークを持ち込むか

　心遣いが求められるのはフレームワークも同じです。参加者の気持ちを考えると、その持ち込み方に細やかな配慮が求められます。

　ファシリテーターが、話し合いの冒頭で「〇〇のフレームワークで議論します」と決めると意見が出しやすくなります。半面、思考が縛られてしまい、枠を超えた斬新な発想が出てこなくなる恐れがあります。しかも、ファシリテーターが威勢よくフレームワークを提示すると、「都合の良いように誘導されてしまうのではないか」と警戒心を抱くメンバーも出てきます。

　だからといって、まっさらな状態で議論をすれば、「糸口がなくて意見が出しにくい」などと文句がでます。このジレンマから脱するためにも、柔らかくフレームワークを提示する、というやり方を身につける必要があります。

1）スタート時から使うなら

　「今日の議論では、〇〇のフレームワークが便利ではないかと思いますが、これで進めてもよろしいでしょうか?」と必ず了解をとりつけてください。「他によい方法があればいただきたいと思いますが…」と参加者の意見を取り入れる余地を示すことも大事です。その上で「やりにくかったら他のやり方に変えましょう」と修正の可能性を残しておくのがコツです。

　ただし、例外はあります。会議の時間に余裕がないときには、こちらから有無を言わせずフレームワークを提示して、さっさと意見出しに突入する手順でもやむをえないでしょう。

2）途中から使うなら

　最初はフレームワーク無しで自由に議論をします。発言が一段落したり、議論がぐるぐる回る混沌状態になったりしたら、フレームワークの利用を提案します。「ここまでの議論を見ていると、このフレームワークを使って議論するのがふさわしいように思えますが、いかがでしょうか?」といった具合に。もちろん参加者に適切なフレームワークを尋ねるのもよい方法です。

道具の使い方の細部に「神が宿る」

こんなふうに道具の力を発揮させるには、通り一遍の使用法を理解するだけではなく、人の心に配慮した丁寧な使い方ができないといけません。入門段階なら形から入るのでよくても、腕前を究めたいならいい加減な使い方から卒業しなければなりません。一例として付箋を取り上げてみましょう。

付箋を使って意見を出すシーンを思い浮かべてください。論点を口頭で説明した後、さっさと参加者に付箋を配り、意見を描いてもらうファシリテーターがいます。ところが、いくら説明しておいても、途中で何について考えればよいのか忘れてしまう参加者もいます。お題をホワイトボードに描き、皆に見えるようにしておく念入りさがあってもよいでしょう。

次は、付箋に描いた意見を披露し合って共有していく場面です。「どなたか口火を切ってください」と言えば、元気な人が「では、私から！」と手を挙げてくれることでしょう。問題はその後です。きっと元気な人は、持ち前の積極性を発揮して、「まずは…。次は…。それから…」と手元の付箋を全部出し切ろうとするに違いありません。

1人目がそういうやり方をすれば、後に続く人も自ずと同じ手順になります。結局、後ろの順番の人ほど、重複感のある意見ばかりが残ります。そのせいで、面白がって聞いてもらえず、残念な気分を味わうことになります。皆が参加・貢献した気になれるようにするためには、付箋をひとり1枚ずつ順繰りに出していく。そういう丁寧さが必要になってくるのです。

このように、ちょっとした使い方の差異が参加者の気持ち・心理に影響を及ぼし、結果として、道具が真価を発揮できるか否かを左右します。まさに「神は細部に宿る」です。ここで述べたようなノウハウを自分の中で培っていくことが真の熟達者への道です。

図6-5 │ 道具の使い方がポイント

日頃から取り組みたい トレーニング

﹋ファシリテーション・グラフィックを習慣化する

　いくら「場数を踏むのが上達の近道」だとは言っても、ぶっつけ本番で実戦に挑戦するのは抵抗がある人が多いかもしれません。そういう人のために、日頃の**トレーニング方法**をいくつか紹介します。

　はじめにお断りしておきますが、トレーニングを積んでからでないとファシリテーション・グラフィックは描けない、という意味では決してありません。基本は「まずはどんどん描いてみよう!」であることをお忘れなく。

描く習慣・図解する習慣をつける

　メモや図解を活用する習慣のない人が、会議になると豹変して素晴らしいグラフィックを描く、というのはちょっと考えられません。まずは、人前ではなく、自分のためにファシリテーション・グラフィックを使いましょう。

　会議や講義のノートを取ったり、自分の考えをまとめたりするときに使うのです。自分のメモならば、どこからどのように描いてもかまいません。失敗したところで誰からも何も言われません。無地のスケッチブックを持ち、日頃からどんどんメモを描く習慣をつけてください。プレゼン資料で図解を使うときにも、どのように図解すると分かりやすいか、うまく話の構造を表現できるか、意識的に考えるようにします。

他人の「お手本」から学ぶ

　といっても、描きっぱなしでは上達しません。時折、自分の描いたメモをしげしげと眺めてみましょう。どんな癖があるでしょうか。

　字に溌剌<ruby>溌剌<rt>はつらつ</rt></ruby>さが無い、タイトルと本文の区別がつきにくい、どんどん右上がりになってしまう、箇条書きオンリーになっている、名詞の羅列が多い、枠囲みがまったく登場しないなど、いろいろ癖が見つかるはずです。それらを一つひとつ乗り越えていくことが、次の挑戦になります。

　そのときに、他の人の描いたグラフィックが参考になります。上手な人の作品はもちろん、そうでない人が描いたものも。「そんな矢印の引き方があったのか」「そこで赤色を使うか！」「そのイラスト、いただき！」などと必ず発見があるはずです。他人が描いたものはどれもよいお手本になります（そのために本書ではさまざまな事例を載せました）。是非、人と見せ合って、自分に無い点を発見してください。

手を鍛えて速く描く

　書道と同じように、ファシリテーション・グラフィックでも繰り返し描くことが練習になります。たとえば、お手本を参考にしながら、自分が見やす

図6-6 │ 立って字を描く／線を引く練習をしてみよう

いと思える字を何度も描いてみてください。しかも、「速く」描けるように意識して練習しましょう。先に述べたように、速く字が描ければ、発言をじっくり聴いたり、まとめ方を考える余裕が生まれてくるからです。

　線については、水平／垂直にまっすぐ引けるように練習します。ゆっくり慎重に線を引こうとすると、かえって線が蛇行したり、あらぬ方向に向いていったりするものです。この場合もポイントはスピードと勢いです。手先を使うのではなく、体を使って、一気に線を引けるようになってください。

　また、イラストやアイコンに凝りたい方は、手が勝手に動いて描けるぐらいにまで練習を積み重ねてください。そうしながら、絵のレパートリーを一つずつ着実に増やしていくのです。

　できればこれらは、「立った状態でやる」ことが望ましいです。そうしないと実戦で役立ちません。文字も線も、座って描くよりも、立ったときのほうがずっと難しくなります。いつもは無理でも、時には立って練習しましょう。

極限のスピードに耐えしのぶ

　さらに、テレビや動画サイトで座談会、パネルディスカッション、バラエティトークなどをしているのを聴きながら、それをグラフィックに落とし込んでいく練習をしてみましょう。発言を描き終わるまで相手が待ってくれないのがポイントです。そういう極限状態でもなんとかグラフィックできるようになれば、実際の話し合いの場面で心の余裕が持てるようになります。

色や記号を無理にでも使ってみる

　筆者はかつて、効果的なのは分かっていながら、黄色の網掛けや星型の枠囲みを使うのに心理的な抵抗がありました。ある日思い切って使ってみて初めて「あ、これ、使えるじゃないか」と思えるようになりました。

　慣れない色や記号は強制的に使ってみることをお勧めします。たとえば、水性マーカーの束から４色をつかみ取って、今日のファシリテーション・グラフィックはその４色だけで描いてみる、といった具合に自分を追い込むのです。頭で考えていても埒があかず、使ってみて初めて良さも悪さも分かってきます。

260

━ トレーニングの心構え

上達目標を定める

　自分なりの目標を定めることがトレーニングを持続させるための秘訣です。できるだけ身近で具体的かつシンプルな目標を定めるようにしましょう。

図6-7 ｜ 上達の目標を定めよう

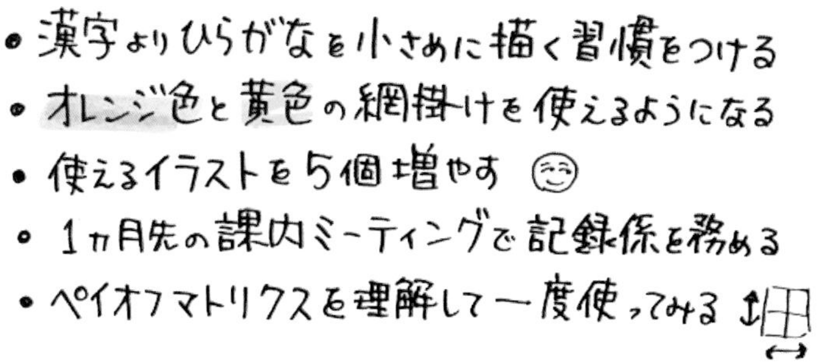

- 漢字よりひらがなを小さめに描く習慣をつける
- オレンジ色と黄色の網掛けを使えるようになる
- 使えるイラストを5個増やす 😊
- 1ヵ月先の課内ミーティングで記録係を務める
- ペイオフマトリクスを理解して一度使ってみる

常に2割多く頑張ってみる

　上達していく人には共通点があります。それは「常に2割多く頑張っている」ことです。

　逆に、うまくならない人はあと一歩の踏ん張りが足りません。ホワイトボードを使う演習も、はじめは頑張るのに、途中から意見の記録度合いが減ってきます。見ている側が「その意見も拾わなくちゃ」と言いたくなることがしばしば。「もうこれぐらいで充分だろう」という見切りが透けて見えるのです。

　事前準備をする、明るい表情でうなずきながら聴く、意見をキャンバスに拾う、フレームワークを使う手順の意味を知って守る——そういったすべての作業を、常に他人より2割多くやってみてください。

要約力を高めるトレーニング

　ある程度描けるようになった人がぶつかる壁は要約と構造化だと思います。これまでに解説してきたセオリーを頭に置きつつ、ここで紹介するトレーニングを積み重ねていけば上達の道が拓けます。

1人で反省会をする

　ファシリテーション・グラフィックをした後は、自分の作品を必ず写真に撮りましょう。後日それを眺めながら、自分が描き留めた一文一文を取り上げ、元の文の意味を損なわずにどこまで短く表現できるかを考えます。

　たとえば、「当初はターゲットを40代に定めてはどうかと思っていた」と記録していたなら、「『当初はターゲットを40代と想定』でもよかったな…」と1人で反省会をするわけです。

　これは、どうしても文が長くなり、描き留めるのに時間がかかってしまっている人向けです。逆に、端折りすぎの人は「ここは『ビジョン』とだけ描かれても意図が伝わらないな。『ビジョンが必要』ぐらいまでは描いておくべきだった」といった具合です。

　図解や構造化も同様です。ゴチャゴチャになってしまった自分のグラフィックを観ながら、「余裕があればこんなふうにも図解したかった」「最初にここから描き始めたから後で破綻してしまった」と振り返りをすると、その考察が次から活きてきます。

みんなでトレーニングする

　新聞や雑誌の記事を読んで一節ずつ要約してみましょう。要約力を高めるには相当効果的なトレーニングとなります。ただし、2つ難点があります。ひとつは、独りでやっていると気が滅入ること。もうひとつは、自分の要約以外のお手本が見られないことです。

　だとしたら、みんなでワイワイとやるに限ります。一節ずつ要約して、皆で見せ合えば、自分の癖にも気づきやすくなります。複数人でやれば、誰か

に文章を読んでもらってリアルタイムに要約するという、より実践的なトレーニングも可能になります。

語彙を豊かにする

要約のうまい人は例外なく語彙力が優れています。語彙が豊富だからこそ、皆がクリアに表現できない内容をスッキリした言葉で表現できたり、その場にふさわしい言葉に置き換えたりできるのです。語彙が豊富であれば、意見を分類したときにつけるグループタイトルに対して、「おお、それ、それ!」と皆から共感してもらえる機会が増えます。

身もふたもない地道な努力になりますが、まず普段から小説、エッセイ、新聞や雑誌の読み物、広告のコピーなどに親しんでください。その際に、ただ読み流すのではなく、「自分が普段使わない言葉はないか」「それはどんな場面でどのように使われているか」を意識することが大事です。広告のコピーも、「いいな」と思って終わりにするのではなく、「なるほどこういう表現が新鮮で響くんだ」と噛みしめるように味わってみてください。

また、読み物の分野が偏っていたら語彙は増えていきません。あえて、自分が触れない分野の本に手を出してみることをお勧めします(筆者は物理工学の世界の人間ですので、哲学、建築、美術といった分野になると、知らない言葉に次から次へと出くわします)。

最後に、そうやって出会った新鮮な言葉を自分で使ってみましょう。文章に書く、会話で話す、といったアウトプット作業が、新しく得た語彙をあなたの血肉にしていってくれます。ブログ、SNS、日記、メモなど、アウトプットする場はいろいろ考えられると思います。

図6-8 | スキルアップの4原則

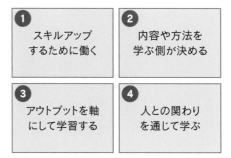

出所:堀公俊『ビジネススキル強化メソッド』

構造化力を高めるトレーニング

フレームワークを使いこなす

　議論の構造を論理的に組み立てるのが構造化です。その力の鍛え方を語り始めると、それだけで一冊の本になってしまいます。ここではすぐに取り組めるトレーニングを紹介したいと思います。

　一番手っ取り早いのはフレームワークを使う練習です。フレームワークはまさに「思考を助ける道具」であり、枠を埋めていくだけで必要な議論が網羅できるようになっています。使っているうちに自然と議論の構造を組み立てる「型」が身に付いていきます。

　たくさんあるのですが、まずはクロスチャート（要は普通のマトリクス）、ロジックツリー、プロセスマップ、ペイオフマトリクス、意思決定マトリクスあたりから自分のものにしていってください。

分類する力を鍛える

　意見を整理したり、抽象的な概念を複数の観点から議論したりするときには、「こう分類すれば大きなモレは無さそうだ」という分類をひねり出せる力が役立ちます。平たく言えば「分ける力」です。

　ここでもフレームワークを使うのが手っ取り早いです。たとえば、事業環境を「市場・顧客」「競合」「自社」（いわゆる3C）の3つに分ける。モノの売り方は「製品」「価格」「流通」「プロモーション」（いわゆる4P）の4つの観点で考えられる。そういった知識を、フレームワークを通じて蓄えていくと、分ける力が育ってきます。

　さらに、日頃から分類に敏感になり、いろんな切り口を頭の中に蓄えるようにしましょう。ビジネススキルのトレーニング本以外にもヒントはいっぱい転がっています。

　たとえば、「人間力」という言葉をよく使いますが、「人間力って何？」とあらためて問われると説明が難しいです。ところが、何かの記事を読んで、「人間

力とはアタマ・ココロ・カラダとキモである」という一節が記憶に残っていれば、人間力を４つの観点に分けて議論できるようになります。

分ける切り口を考え出す

さらに、人がつくったものを頭に蓄積していくだけでなく、自分で分類をつくり出すトレーニングもしておくとよいでしょう。ここでは編集稽古を紹介しておきます（これも皆でワイワイやると楽しいです）。

１）三位一体型

何か対象を取り上げて、３大要素に分解するトレーニングです。

▶音楽＝[メロディー]＋[リズム]＋[ハーモニー]

▶素敵なチーム＝[笑い]＋[探究]＋[成果]

▶ワークショップ＝[参加する]＋[協働する]＋[学習する]

組織変革、イベント、人材育成──テーマは何でもかまいません。それを「大きく３つの要素に分解するにはどうしたらいいだろうか？」と考えるわけです。

綺麗にMECEにする必要はなく、何となく全体をカバーしつつ、３つの粒の大きさがだいたいそろっていればOKです。一つのお題に対して10個以上考えないと、頭を鍛えたことになりません。

２）二軸四方型

同じく何か対象を取り上げて、今度は、２軸のマトリクスをつくり、そのマトリクスの軸を考えて、４つのカテゴリーに分解するトレーニングです。

▶音楽＝[テンポ：緩急]×[楽器：多少]

▶素敵なチーム＝[成果：大小]×[やる気：大小]

▶ワークショップ＝[人数：多少]×[時間：長短]

これも厳密に言えば、連続量である、両極になっている、２つの軸が独立である（相関関係がない）の３条件を満たさないといけませんが、少々緩くてもご愛敬。ここからさらに４つのカテゴリーに名前をつけてみると、よい頭の体操になります。

※[参考文献]松岡正剛監修『直伝！プランニング編集術』東洋経済新報社

ブックガイド

<全般、第1章>
●デビッド・シベット『ビジュアル・ミーティング』朝日新聞出版
ファシリテーション・グラフィックの"元祖"である著者が、予想外のアイデアと成果を生み出す会議のビジュアル化手法を紹介する、海外におけるスタンダード本です。

●浅海義治、伊藤雅春『参加のデザイン道具箱〔Part-3〕』世田谷まちづくりセンター
皆が参加できる場のつくり方を紹介したシリーズの一冊。ビジネス向けではありませんが、この分野では教科書的な存在です。一般書店では入手できず、直接お求めを。

<第2章>
●加藤昌治『考具』CCCメディアハウス
ポストイットの使い方など、アイデアを出すための工夫が満載されています。発散の手法の幅を広げたい方に適しています。

●川嶋直『KP法　シンプルに伝える紙芝居プレゼンテーション』みくに出版
A4紙に書いて貼るだけの、PowerPointより簡単で効果抜群のプレゼンテーション技法。参加型の場をつくるのに、これほどシンプルでパワフルな方法はありません。

●ちょんせいこ『元気になる会議　ホワイトボード・ミーティングのすすめ方』解放出版社
ホワイトボードに徹底的にこだわり、情報共有、役割分担、企画といった会議での実践ケースを丁寧に紹介・解説しています。誰でもとっつきやすいと好評。

<第3章>
●永田豊志『頭がよくなる「図解思考」の技術』KADOKAWA/中経出版
インプットした情報を、瞬時に図解で整理し、メモとしてアウトプットするスキルを、体系的に解説しています。本格的に図解をやりたい方にはこちらがお勧め。

●高橋佑磨、片山なつ『伝わるデザインの基本』技術評論社
プレゼンスライドをはじめ、クールな資料をつくるためのデザインのルールを豊富なビジュアルとともに丁寧に解説してあります。ざっと眺めるだけでもコツがつかめます。

●米倉明男、生田信一、高柳千郷『レイアウト・デザインの教科書』SBクリエイティブ
レイアウトの基本ルールから最近のトレンドまで解説されている、デザイナー向けの本です。こういう本だってファシリテーション・グラフィックに役立つヒントがいっぱい。

●堀公俊『ビジュアル ビジネス・フレームワーク 第2版』（日経文庫）日本経済新聞出版

ファシリテーション・グラフィックに役立つ200種類のフレームワークをコンパクトに図解で解説したハンドブック。常に手元においておきたい一冊です。

＜第4章＞
●堀公俊『オンライン会議の教科書』朝日新聞出版

今や仕事に不可欠となったオンライン会議。準備から当日の進行まで、成功のポイントをすべて解説しています。オンラインならでのファシリテーションスキルを身につけましょう。

●清水淳子『Graphic Recorder－議論を可視化するグラフィックレコーディングの教科書』ビー・エヌ・エヌ新社

グラフィックを使って議論を記録するグラフィック・レコーディングの優れた入門書です。記録に専念することで多彩な表現が可能となり、議論を華やかに盛り上げてくれます。

＜第5章＞
●有廣悠乃ほか『描いて場をつくるグラフィック・レコーディング』学芸出版社

組織づくり、事業開発、キャリア、まちづくり、行政改革、ソーシャル、教育・研究、支援・ケアの分野の応用が紹介されており、さまざまなスタイルに触れられます。

●森時彦『ザ・ファシリテーター』ダイヤモンド社

小説仕立てでファシリテーターが問題解決をしていく様が描かれています。さまざまなツールを駆使しつつ、どのようにファシリテートしていくかを知るのに最適です。

＜第6章＞
●山田夏子『グラフィックファシリテーションの教科書』かんき出版

グラフィックの技法のみならず活気ある場のつくり方からファシリテーターのあり方までを組織開発の観点から詳しく解説してある異色のグラフィック本です。

●平石直之『超ファシリテーション力』アスコム

数々の論客の多彩な意見が飛び交う場をさばく名ファシリテーター(猛獣使い)が会議を一変させるテクニックを紹介。その裏にある細やかな心遣いが参考になります。

あとがき

　日本ファシリテーション協会では、毎週、日本のどこかで、ファシリテーションのスキルや応用を研究・学習するワークショップをやっています。ある日のこと、「ファシリテーターの板書の上手い下手で話し合いのムードもアウトプットも変わるよね」という話から、ファシリテーション・グラフィックを研究してみようという話になりました。

　タイプの違う（ビジネス系と市民活動系の）2人のプロ・ファシリテーターに、同じ話を聴きながらグラフィックを描いてもらいました。そのプロセスを参加者全員で観察して、2人の描きぶりの違いから技のエッセンスを抽出しようというものです。今や協会の中で伝説となった、「激突！ ファシリテーション・グラフィックの鉄人達」という企画です（詳細はホームページで）。

　2人の技は最初から違っていました。模造紙を縦にして、3枚横並びで貼ってスペースを確保したまでは同じだったのですが、1人は紙面の左上にタイトルを書いて箇条書きでポイントをまとめていきます。対するもう1人はど真ん中にタイトルを置いて、四方八方に展開させていきます。最初のレイアウトの構想が重要であり、それには一定のパターンがあるようです。

　逆に、共通点もたくさん発見しました。たとえば、話がずっと進んでいるのに、2人ともペンを止めたままじっと聴き入り、一向に描き出そうとしない時間があります。ところが、あるところまで話が進むと、2人がほぼ同時にそれまでの内容をまとめて描き出すのです。話をうまく要約するのに、特有の聴き方があるようで、ダラダラと描いていてはいけないようです。

　たった15分の実演でしたが、実に多くのテクニックを発見しました。中でも一番の収穫は、まえがきにも書いたように「ファシリテーション・グラフィックはアート（芸術）ではなくスキル（技術）である」と感じたことです。

　確かに向き不向きはありますが、誰もがスキルを身に付ければ、一定のレベルには到達できます。そのためには、うまい人が普段何気なくやっていることを、できる限りスキルとして抽出しなければなりません。それが、筆者

たちがファシリテーション・グラフィックをさらに深く研究するキッカケになり、ひいては本書が誕生する契機となりました。

　初版のあとがきにこう書いてから16年の月日が流れました。その間、筆者たちは研修やシンポジウムといった場でファシリテーション・グラフィックの効用ややり方を伝える活動をしてきました。多くの方々から「やっぱり議論を描くと話し合いがうんとやりやすくなりますね」という感想をいただきました。

　そのこと自体は嬉しいのですが、ちょっと待ってください。そういう感想が出てくるということは、これまで議論を描きながら話し合いをする習慣が無かったということですか!?　16年経ってもいまだに同じ感想が出てくるということは、「話し合いのときには議論を描く」のが当たり前の世の中にはまだなっていないということなのです。

　確かに、重要な国の委員会の話し合いでもホワイトボードが使われているのをまず見ることはありません。筆者がいろいろなお客さまとお付き合いしていても、会議室にホワイトボードが無いなんてことは日常茶飯事です。

　現実の話し合いにおいても、「なんか話がかみ合っていないな…」「しらけているよな…」と皆が思いながらも、モジモジして誰もホワイトボードの前に立たない。「わざわざ描くまでもないや」「描いたって何も変わらないよ」といった、変なプライドやあきらめ感が漂っている。これでは、いくら素晴らしい知恵や情熱を持ったメンバーが集まっても、力を結集することはできません。

　本書をお読みになった皆さんは、ひととおりの知識やノウハウは身についたはずです。しかし、実際にそれらをスキルとして習得し、使うことを習慣化するには、自分から実行するしかありません。

　誰かがやってくれたらいいのに、ではダメなのです。こういうときこそ、あなたがペンを持って立つ勇気──リーダーシップと言ってもよいかもしれません──を奮い立たせてください。あなたのその行動が、周りに影響を与え、話し合いを少しずつ変えていく力になるのです。そして、周りの人に「なるほど、このやり方はいいな！」と思ってもらって、仲間を増やしていっ

てください。

　10年後にこの本が要らない社会になっていたら、筆者としてこんなに嬉しいことはありません。

　この本は多くの方のご協力の賜物です。本書を締めくくるにあたり、御礼の言葉を申し上げておきたいと思います。

　本書が誕生したのは、板書屋こと里山計画研究所の志賀壮史さんのお陰です。氏の躍動感溢れる技を見た瞬間、ファシリテーション・グラフィックに対する考え方が一大転換しました。この場を借りて厚く御礼申し上げます。

　また、神瀬葉子さんには、丸一日かけての作例づくりやシーン撮影にご協力をいただき、心から感謝いたします。

　本書の内容は、日本ファシリテーション協会の活動の中で得たものや、巡り会った方々からの示唆・協力が、かなりの部分を占めています。すべての方のお名前を挙げることはできませんが、作例をご提供くださった青波ゆみこさん、ご自身の心構えを教えてくださった八木健夫さん、西修さんに特に感謝の意を表します。

　協会以外の方々にもお世話になりました。初版でかなりの時間を割いて相談に乗ってくださった福原美砂さん、新角耕司さん、新版で作成をご提供くださった沼野友紀さん、出村沙代さんに感謝の意を表します。

　初版編集担当の日本経済新聞社の堀江憲一さん、新版編集担当の日経BPの白石賢さん、栗野俊太郎さんにも心より感謝します。この本にかける皆さんの情熱に支えられて、筆者は幾度もペンを走らせることができました。

　最後に、筆者が執筆作業に追われるあまり、あまり相手にしてやれなかった最愛の子どもたち、そしていつも執筆を陰で支え、時には校正まで手伝ってくれた愛妻に深く感謝します。どうもありがとう！

○出所：

図1-7, 1-8, 2-8, 2-14, 5-9, 6-3, 6-5

日本ファシリテーション協会各支部定例会及び各種委員会

図2-34　出村沙代

図4-4右, 4-16　株式会社沼野組

図4-4左　小林幹基

図4-15下, 4-17, 5-12　アオナミユミコ

図5-6　八幡晃久

索引

著者紹介

堀 公俊（ほり・きみとし）

神戸生まれ。大阪大学大学院工学研究科修了。大手精密機器メーカーにて商品開発や経営企画に従事するかたわら、ビジネス、ソーシャル、教育など多彩な分野でファシリテーション活動を展開。2003年に有志とともに日本ファシリテーション協会を設立し、初代会長に就任。執筆や講演活動を通じて、ファシリテーションをはじめとするビジネススキルの普及・啓発に努めている。

現在：堀公俊事務所代表、組織コンサルタント、日本ファシリテーション協会フェロー、大阪大学客員教授（テクノロジー・デザイン論）

著書：『ファシリテーション入門 第2版』『ビジュアル ビジネス・フレームワーク 第2版』『ビジネススキル図鑑』（以上、日本経済新聞出版）、『問題解決ファシリテーター』（東洋経済新報社）など多数。

連絡先：fzw02642@nifty.ne.jp

加藤 彰（かとう・あきら）

愛知県生まれ。京都大学大学院工学研究科修了。㈱デンソーにて半導体研究に従事した後、現在㈱日本総合研究所にて経営コンサルティングに従事。民間企業向けコンサルティングに関わり、主なテーマは中期経営計画策定、ビジョン／パーパス策定・浸透、統合報告書策定、サステナビリティ社内浸透、部門方針・戦略策定、次世代リーダー育成／ジュニアボード。参加型の話し合いの場づくりを生きがいとしている。

現在：㈱日本総合研究所リサーチ・コンサルティング部門シニアマネジャー。日本ファシリテーション協会フェロー。

著書：『ロジカル・ファシリテーション』（PHP）、『チーム・ビルディング』『ワークショップ・デザイン』『ロジカル・ディスカッション』『ディシジョン・メイキング』『アイデア・イノベーション』（いずれも共著、日本経済新聞出版）。

連絡先：silverfox@tcct.zaq.ne.jp

日本ファシリテーション協会

ファシリテーションの普及・啓発を目的とした特定非営利活動（NPO）法人。ビギナーからプロフェッショナルまで、ビジネス・まちづくり・教育・環境・医療・福祉など、多彩な分野で活躍するファシリテーターが集まり、多様な人々が協調しあう自律分散型社会の発展を願い、幅広い活動を展開している。

<Web> http://www.faj.or.jp/

[新版]

ファシリテーション・グラフィック
議論を「見える化」する技法

2006年 9 月22日　1版1刷
2022年12月14日　2版1刷

著者　　**堀公俊　加藤彰**
©Kimitoshi Hori, Akira Kato, 2006, 2022

発行者　**國分正哉**

発行　　**株式会社日経BP**
　　　　日本経済新聞出版

発売　　**株式会社日経BPマーケティング**
　　　　〒105-8308　東京都港区虎ノ門4-3-12

印刷・製本　**大日本印刷株式会社**

ISBN978-4-296-11604-1

本書の無断複写・複製(コピー等)は著作権法上の例外を除き、禁じられています。
購入者以外の第三者による電子データ化および電子書籍化は、
私的使用を含め一切認められておりません。
本書籍に関するお問い合わせ、ご連絡は下記にて承ります。
https://nkbp.jp/booksQA
Printed in Japan